Politik

Lernen und Handeln
für heute und morgen

Volker Nitzschke
unter Mitarbeit von
Fritz Sandmann,
Elisabeth Bongert-Gerhards
und Egbert Dozekal

Politik
Lernen und Handeln für heute und morgen

Band 1

Verlag Moritz Diesterweg
Frankfurt am Main

Dr. Volker Nitzschke ist Professor für
Didaktik der Sozialwissenschaften an der
Johann Wolfgang Goethe-Universität,
Frankfurt/M.

Graphische Gestaltung:
Reinhard Schubert, Frankfurt/M.
Illustrationen: Dirk Tonn, Bovenden

Genehmigt für den Gebrauch in Schulen.
Genehmigungsdaten teilt der Verlag auf
Anfrage mit.

ISBN 3-425-01601-6

2. Auflage

Gesamtherstellung:
Lüderitz & Bauer, Berlin

Inhaltsverzeichnis

0. Einführungskapitel

Dieses Buch will euch helfen, etwas über eure Umgebung und die Umwelt, Schule , Menschen und Familien hier und in anderen Teilen der Welt, über Zeitung und Fernsehen, Arbeit und Freizeit, Herstellung, Kauf und Verkauf, aber auch Politik zu erfahren.

Weil in jeder Klasse, an jedem Ort unterschiedliche Probleme bestehen, soll euch dieses Buch dazu anregen, daß ihr
- fragt, wie es bei euch ist,
- selbst erkundet,
- selbst untersucht.

So lernt ihr, euch zu informieren, eine Meinung zu bilden und erfahrt, was evtl. zu tun ist und wer das tun könnte.

Ziele der Arbeit dieses einführenden Kapitels: Ihr sollt forschende und erkundende Arbeit kennenlernen.

Am Anfang jedes Kapitels steht, worum es geht. Am Ende sind Hinweise, wie ihr das Gelernte überprüfen könnt.

In jedem Kapitel gibt es Möglichkeiten zur Arbeit = ***A***
Informationen = ***I***
Hilfen = ***H***
und Material mit Beispielen, die ihr ergänzen könnt.
Die Arbeitsvorschläge sind Anregungen, die mit der Lehrerin oder dem Lehrer besprochen werden müssen. Veränderungen oder Erweiterungen sind möglich und vom Autor gewollt.
Ihr müßt unter den Vorschlägen auswählen.

H Bei der Bearbeitung der Themen dieses Buches ist wichtig:

1. In welcher Reihenfolge wird gearbeitet (z.B. Vordiskussion, Planung, Zusammenstellung von Material, Schlußdiskussion anhand des gesammelten Materials. . .)?
2. Was wird getan (z.B. Beobachten, Interviewen, Sammeln, Ordnen, Beschreiben, Zeichnen, Zusammenstellen. . .)?
3. Wer tut es (die Klasse gemeinsam, einzelne Gruppen, je zwei Schüler zusammen, jeder für sich. . .)?

Am folgenden Beispiel Einkaufen wird in die Arbeitsweise des Buches eingeführt.

Einkaufen

Früher gab es in unmittelbarer Umgebung – also in jedem kleinen Ort, fast in jeder Straße – Geschäfte für das, was die Menschen täglich brauchten.

In den Lebensmittelläden, Milch- und Obstgeschäften, den Metzgereien und Bäckereien wurden die Kunden, die täglich zu Fuß dort hingingen, zumeist von den Inhabern bedient.

Wie ist das heute?
Wo kauft ihr, wo kaufen eure Eltern ein?

Verführt der Supermarkt zum Kauf?
Was wollen die Käufer?
Wie verhalten sie sich?
Was erstreben die Verkäufer/Inhaber des Supermarktes?

Ziele der Arbeit: Ihr solltet
- ○ Unterschiede zwischen Einkauf früher und heute erkennen,
- ○ eure Interessen bei Einkäufen kennenlernen,
- ○ Hilfen für Einkäufe kennen und
- ○ vor allem auch erfahren haben, zu welcher Arbeit euch das Buch anregen will.

A Um euch mit dem Thema bekanntzumachen, könnt ihr
- ○ Erfahrungen von Einkäufen austauschen,
- ○ über besondere Erlebnisse dabei berichten,
- ○ das Material auf diesen Seiten mit euren Erfahrungen und Erlebnissen vergleichen.

H Jede Arbeit zu einem Thema dieses Buches solltet ihr damit beginnen, euch mit dem Thema vertraut zu machen. Dazu kann die Lehrerin bzw. der Lehrer Anregungen geben, Anregungen können von Schülern kommen. Auch dieses Buch gibt Anregungen. So könnt ihr die Texte und Bilder auf dieser Doppelseite zum Anlaß für ein Gespräch zum Thema „Einkaufen" nehmen. Dieses Gespräch ist der erste Schritt zur Erarbeitung eines Themas. In ihm sollten alle Schülerinnen und Schüler offen miteinander sprechen. Jeder kann Anregungen geben, Fragen äußern, seine Meinung einbringen.

H Durch die Vorinformation und Zielangabe in der linken oberen Ecke eines neuen Kapitels sollt ihr erfahren, worum es geht, um euch auf das Thema und die Arbeit einstellen zu können.

„Ich kaufe am liebsten im Tante-Emma-Laden ein, weil man da anschreiben lassen kann!"

Wer den kleinen Laden betritt, findet sich mit all dem konfrontiert, was zur Idee eines „Tante-Emma-Ladens“ gehört: Hinter dem Tresen hölzerne Regale mit Spitzenborten (Verzierungen aus Spitze): davor die Verkäuferinnen in weißen Rüschenschürzen (Schürze aus zusammengeraftem Stoff), die sich nach dem Befinden erkundigen – übrigens: „War der Herr Brecht heute eigentlich da?“ „Ja, war da – als erster Kunde, wie jeden Tag.“ **1**

Aus der Zahnpastatube von Herrn Paul kam am Morgen fast nichts mehr heraus. Deshalb fuhr er nach der Arbeit zum Supermarkt. Er nahm sich einen Einkaufswagen und sagte sich: Der ist eigentlich viel zu groß für eine Zahnpastatube.

Auf dem Weg zur Drogerieabteilung kam er an einem Sonderangebot für Jacken vorbei. Er probierte, was das für Jacken sind und ob sie ihm passen. Tatsächlich: Eine Jacke paßte gut und gefiel Paul auch. So legte er sie in den Wagen.

Am Stand für Toilettenpapier stutzte er. Seiner Erinnerung nach ging der Vorrat zu Hause zu Ende. Ein großes Paket flog in den Wagen. Begleitet von Musik schlenderte er weiter.

Nun war er dicht an dem Regal mit Zahncreme. Da fiel sein Blick auf Kaffeegeschirr im Sonderangebot. Es war zwar nicht ganz sein Geschmack, dafür aber sehr preisgünstig. Schon lag ein Karton bei den anderen Sachen im Wagen.

Bald fanden sich noch weitere Sonderangebote im Wagen: Ein Schirm, 10 Paar Socken, zwei Flaschen Wein, eine Kiste Mohrenköpfe, ein Zehnerpack Schokoladentafeln, drei Büchsen Fischkonserven.

Schließlich – nach etwa einer knappen Stunde – stand Herr Paul an der Kasse. Er hatte schon festgestellt, daß das Geld im Portemonnaie nicht reichen dürfte. So zückte er seine Schecks. Während des Wartens flogen noch zwei Dreierpacks mit Glühlampen und ein Kartoffelschäler zusätzlich in den Wagen, die günstig in seinem Blickfeld lagen. In diesem Augenblick fiel ihm ein, daß die Zahncreme noch fehlte.

Schnell also noch zu dem Zahncreme-Regal. Unterwegs fanden noch ein praktisches neues Schuhputzmittel und ein neues Rasierapparat-Modell im Einkaufswagen Platz.

Erneut stellt sich Herr Paul an, zahlte mit Scheck und war nach $1^1/_4$ Stunden Einkaufserlebnis wieder draußen.

A Welche Fragen ergeben sich aus eurem Gespräch?

H Unter manchen Texten aus dem Material steht eine Nummer.
Diese findet ihr auf der Seite 140 f. unter dem jeweiligen Kapitel wieder. Dort ist angegeben, woher der Text stammt (Quellenangabe).

I Jeder Mensch braucht Nahrung, Wärme, Schutz, aber auch Zuwendung, Liebe, Gespräch . . .

Viele Bedürfnisse lassen sich durch Kaufen, Mieten oder Leihen befriedigen. Bedürfnisse werden zu Bedarf. Kartoffeln, Schuhe, Milch lassen sich kaufen, eine Wohnung mieten.

Manche Bedürfnisse müssen unbedingt befriedigt, andere können zurückgestellt werden oder sind nur Wünsche. Essen muß der Mensch, jedoch nicht unbedingt Kaviar, Erdbeeren aus Kalifornien, Hummer oder Filet.

Menschen haben aber auch Bedürfnisse, die sich nicht kaufen lassen, wie Liebe und Zärtlichkeit. Dazu braucht man andere Menschen, die mit einem reden, einen anerkennen.

H Im ersten Gespräch habt ihr einige Probleme des Einkaufens erörtert.
Jetzt könnt ihr überlegen:
○ Was lohnt sich zu bearbeiten?
○ Was ist am Einkauf interessant, wichtig?

Dazu findet ihr auf der Seite 11 einige Anregungen. Vielleicht habt ihr noch andere, bessere? Offene Fragen, mögliche Schwerpunkte der Arbeit müssen aufgelistet werden.

Bedenkt bei der Arbeit eure jetzige und eure spätere Rolle als Käufer/Verbraucher.

Das Verhalten der Käufer hat sich in den letzten 50 Jahren verändert. Früher kauften die Menschen in „ihren" Geschäften, wo der Inhaber oder die Inhaberin den Kunden kannte und mit Namen begrüßte. Scherzhaft werden diese Geschäfte heute „Tante-Emma-Läden" genannt. Heute werden die meisten Waren des täglichen Bedarfs wie Lebensmittel, Putz- und Reinigungsmittel in großen Supermärkten gekauft, wo der Kunde und Angestellte sich meist nicht kennen. Dort bedient sich der Kunde selbst aus den Regalen.

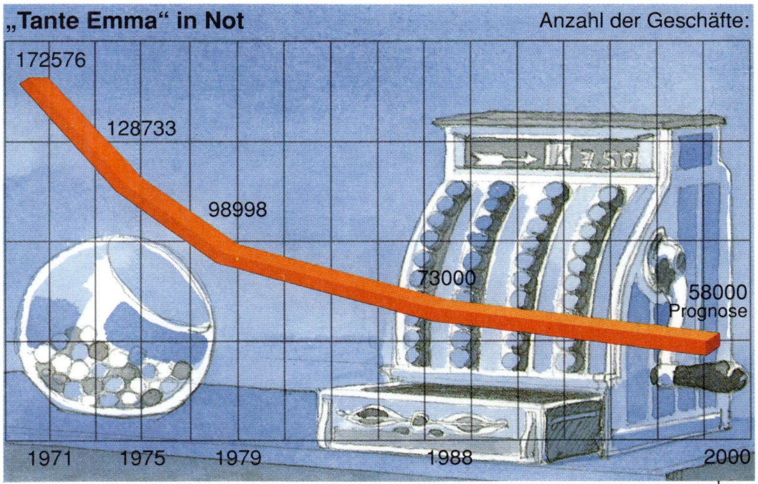

A Ihr solltet euch fragen:

1. Was wollen wir erkennen, kennenlernen?

- Einkauf früher, heute, morgen,
- Verführung zum Kauf,
- Käuferverhalten,
- Hilfen für Käufer, z.B. Verbraucherzentralen,
- Vergleich der Angebote in Fachgeschäften und Selbstbedienungsläden,
- Warentests ...

2. Wie und wo wollen wir arbeiten?

Beispiele:
- Eltern befragen,
- in Selbstbedienungsläden oder Fachgeschäften Käufer befragen,
- in Selbstbedienungsläden oder Fachgeschäften beobachten, wie sich Käufer und Verkäufer verhalten,
- in Selbstbedienungsläden und Fachgeschäften erkunden, wie die Waren angeboten werden,
- Schriften der Verbraucherzentralen und Testhefte der Stiftung Warentest studieren,
- selbst Waren testen und vergleichen,
- Waren und Preise in verschiedenen Geschäften vergleichen,
- ältere Menschen zum Einkauf früher und heute befragen.

3. Wozu wollen wir evtl. die Arbeitsergebnisse verwenden?

Beispiele:
- Wir wollen uns nur selbst kundig machen.
- Wir wollen etwas von den Ergebnissen anderen erzählen oder für sie darstellen.
- Wir wollen mit den Eltern diskutieren.
- Wir wollen Einkaufsfibeln über günstige Angebote erstellen.

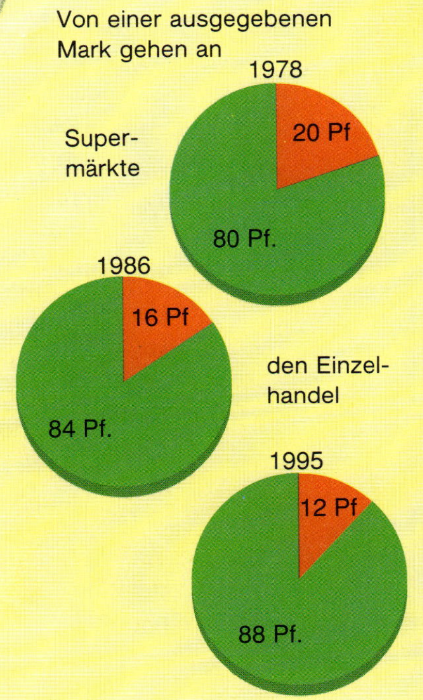

A Findet heraus, was sich bearbeiten läßt und was zu schwierig ist.
Die Lehrerin oder der Lehrer und eine kleine Gruppe können z.B. feststellen,
- ○ ob ihr einen Supermarkt erkunden dürft,
- ○ welche Möglichkeiten des Kontakts mit der Verbraucherberatung bestehen . . .

Was nicht möglich ist, weil es zu lange dauert, zu teuer ist oder nicht erlaubt wird, muß von der Liste der möglichen Arbeiten gestrichen werden.

Schaut euch auch an, über welche Möglichkeiten ihr entscheiden könnt. Ein kleines Beispiel findet ihr rechts auf dieser Seite.

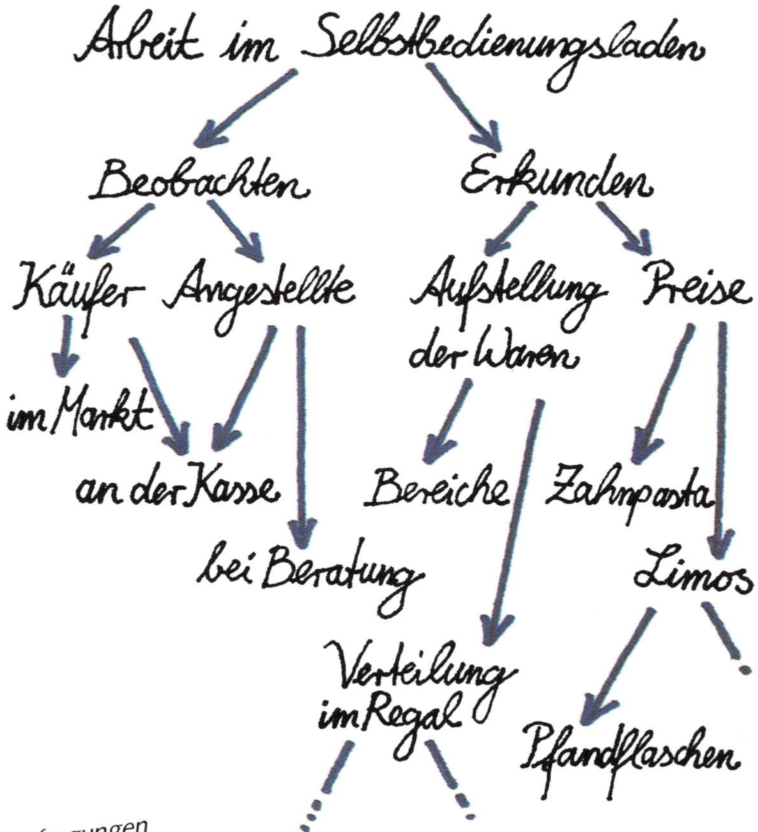

I Wichtig, wenn Ihr Befragungen vornehmt:
- *○ In der Bundesrepublik hat der Einzelne viele Rechte. Nur in genau beschriebenen Fällen muß er Auskunft geben.*
- *○ Jeder kann sich weigern zu sagen, ob er lieber Butter oder Margarine ißt, lieber Geld für Kleidung als für Essen ausgibt . . .*
- *○ Auch Geschäftsleute sind nur in klar bestimmten Fällen zur Auskunft verpflichtet. Sie müssen z.B. dem Finanzamt, aber auch der Gewerbeaufsicht, die sich um Sauberkeit und Sicherheit kümmert, Einblick geben. In größeren Unternehmen haben außerdem Vertreter der Arbeiter und Angestellten das Recht auf Information und Mitbestimmung.*

H Es gibt verschiedene Möglichkeiten für die Arbeit. Überlegt euch, was ihr tun könnt, um nach Abwägung der Argumente eine Entscheidung zu treffen.

Eine Klasse kann nicht alles tun. Es muß ausgewählt, es müssen Schwerpunkte gebildet werden. Diskutiert Ziele und Alternativen (andere Möglichkeiten), um dann sinnvoll entscheiden zu können, was getan wird und was nicht.

Bei der Entscheidung wird eine Möglichkeit mit ihren Vorteilen und Nachteilen gewählt. Es ist gut, wenn vorher viele Möglichkeiten sachlich diskutiert wurden und nun alle Gründe bekannt sind, die für oder gegen ein Projekt sprechen.

H Jede Schülerin und jeder Schüler hat das Recht zu erfahren, wer bestimmt. Entscheidungen müssen deshalb von bzw. vor der Klasse getroffen werden. Auch die Lehrerin oder der Lehrer werden, wenn sie die Entscheidung getroffen haben, vor der gesamten Klasse begründen und erklären, worum es gehen sollte und warum.

I *Mögliche Entscheidungsverfahren:*

- *Einer entscheidet für alle.*
- *Mehr als die Hälfte muß für einen Vorschlag sein.*
- *Die meisten müssen für einen Vorschlag sein.*
- *Alle müssen zustimmen.*
- *Sprecher regeln, was gemacht wird.*

Welches Verfahren wollt ihr wählen? Warum?

Wenn in einer Schule alle 5./6. Klassen parallel arbeiten sollen, muß die Entscheidung von den Lehrern bzw. Lehrerinnen koordiniert und den Klassen erläutert werden.

Daß alle Schüler einer Klasse dasselbe wollen, wird selten vorkommen, weil jeder unterschiedliche Interessen und Vorlieben hat. So kommt es oft zu Mehrheitsentscheidungen, die auch in Parlamenten, Versammlungen, Kollegien vorgeschrieben sind. Wer unterliegt, wird vielleicht beim nächsten Mal bei der Mehrheit sein. Meist kann jeder bei der Arbeit einen Schwerpunkt finden, der auch ihn interessiert.

Es gibt auch Entscheidungen, bei denen keiner unterliegt, weil ein Mittelweg (Kompromiß) gefunden wurde.

A Nach der Entscheidung solltet ihr euch überlegen, was wer wann wie tut. Dadurch spart ihr nicht nur Zeit, sondern habt auch später die Möglichkeit festzustellen, ob der Plan funktionierte oder weniger gut war.

Plant die Arbeit an den ausgewählten Schwerpunkten.

H Am besten werden die Schwerpunkte von den Schülern geplant, die sie später bearbeiten.

A Wenn ihr Angebote vergleicht, so sind die Vorschriften zum Schutze der Verbraucher wichtig. Ihr findet sie im Material.

Außerdem findet ihr im Material den Vorschlag für die Planung einer Untersuchung von Angeboten. Dazu entwerft ihr am besten eine Strichliste, z. B.:
Behälter: Büchse, Einwegflasche, Pfandflasche . . .
Menge: 0,2 l, 0,5 l, 0,75 l . . .

Untersucht ihr Möglichkeiten der Information, so kann euch die Zusammenstellung zur Verbraucherberatung helfen.

Wollt ihr Beobachtungen machen, so müßt ihr entsprechend eurem Ziel zunächst festlegen, was ihr beobachten wollt, z. B.
○ die Zeit, die ein Kunde an der Kasse steht,
○ die Zahl der Artikel, die er im Einkaufswagen hat,

Erkundung des Angebots für Limonaden
Planung
1. Entscheidung, das Angebot von Limonaden zu erkunden
2. Festlegen, was zu Limonaden gehört
3. Festlegen, was untersucht werden soll (z. B. Marke, Verpackung, Preis, Menge, Geschmack . . .)
4. Festlegen der Supermärkte, in denen untersucht wird
5. Entscheidung, welche Schüler die Prüfung vornehmen (allein, in Gruppen)
6. Entscheidung, wann die Prüfung vorgenommen werden soll (Unterrichtszeit, nachmittags)
7. Vorbereitung von Strichlisten
. . .

○ die Zeit, die ein Kunde sich im Selbstbedienungsmarkt aufhält,
○ das Verhalten am Regal – prüfen, aussuchen, kontrollieren oder schnelles Zugreifen.
Danach müßt ihr einen Beobachtungsbogen entwerfen, in dem ihr nur anzustreichen braucht, z. B.:
Zeit: 1 Min., 2 Min., 3 Min. . . .
Wird das Verfalldatum kontrolliert: ja/nein . . .

Wollt ihr Kunden oder Verkäuferinnen bzw. Verkäufer befragen, so solltet ihr die Fragen festlegen. Sind es Fragen, die kurz zu beantworten sind, reichen zum Festhalten Fragebögen aus, die ihr entwerfen und anschließend ausfüllen und auswerten müßt.

Erwartet ihr längere Antworten, überlegt den Einsatz von Tonbandgeräten.

Vorschriften zum Schutze des Verbrauchers

In der Bundesrepublik dürfen sich Unternehmen (z.B. Geschäfte) nicht über Preise einigen. Sie dürfen auch nicht versuchen, den Wettbewerb um Kunden einzuschränken, indem sie sich z.B. darauf einigen, daß der eine nur in Hessen tätig wird, der andere in Hamburg (vgl. Gesetz gegen Wettbewerbsbeschränkungen).

Auch ist es in der Bundesrepublik verboten, die Kunden in die Irre zu führen, z.B. durch falsche Angaben in der Werbung. Es ist vorgeschrieben, daß die Preise ausgezeichnet werden müssen, wann und wie ein Ausverkauf stattfinden kann und ähnliches (vgl. Gesetz gegen den unlauteren Wettbewerb und Neue Preisangabenverordnung von 1985).

Es ist verboten, Lebensmittel so herzustellen, daß sie für den Menschen gefährlich werden, z.B. durch Zusatzstoffe (vgl. Gesetz zur Neuordnung und Bereinigung des Rechts im Verkehr mit Lebensmitteln, Tabakerzeugnissen, kosmetischen Mitteln und sonstigen Bedarfsgegenständen).

Mogelpackungen sind verboten. Zwischen der Verpackung und dem, was in ihr ist, darf kein grober Unterschied sein.

Waagen werden regelmäßig auf die Genauigkeit überprüft (vgl. Eichgesetz und Fertigpackungsverordnung). 2

Verbraucherberatung

Arbeitsgemeinschaft der Verbraucher, Bonn

Arbeitsgemeinschaft Hauswirtschaft, Bonn

Deutsche Gesellschaft für Ernährung, Frankfurt/M.

Verbraucherzentralen

Verein zum Schutz der Verbraucher gegen unlauteren Wettbewerb, Berlin

Stiftung Warentest, Berlin

H In der Arbeitsphase bearbeitet ihr, was ihr überlegt, entschieden und dann geplant habt.

Stellt ihr in der Arbeitsphase, die das Kernstück jeder Arbeit ist, fest, daß sich Schwierigkeiten ergeben, müßt ihr evtl. neu planen.
Vielleicht sind auch neue oder weitere Entscheidungen notwendig.

A Ihr könnt Produkte wie Hefte, Radiergummis, Bleistifte, Malfarben, Tonbänder ... testen, aber auch Dienstleistungen wie Haareschneiden, Beratung ... vergleichen.

Bei Blusen kann z.B. überprüft werden, wie sie sich tragen, waschen und bügeln lassen, bei Fahrrädern die Haltbarkeit, Sicherheit, Fahreigenschaften, Wirkung der Bremsen, Handhabung der Schaltung ... Nicht immer haben die teuersten Marken auch die besten Testergebnisse.

Auch Wolle hält nicht immer warm

Warme Unterwäsche steht zur Zeit auf vielen Einkaufszetteln. Leider steht der Preis oft in keinem Verhältnis zur dafür „gelieferten" Wärme.

So erkennen Sie gute Verarbeitung (die hochwertigste Methode ist jeweils zuerst genannt):

Ärmelabschlüsse
1 angestricktes Bündchen
2 aufgenähtes Bündchen mit überdeckter Naht
3 aufgenähte Zierkante
4 umgeschlagene Kante
5 aufgenähtes Bündchen mit gekettelter Naht

Säume
1 gestrickt
2 aufgenähte Zierkante
3 umgeschlagen
4 gekettelt **3**

I *Bei einem Warentest werden wichtige Eigenschaften gleicher Produkte verschiedener Hersteller überprüft.*

Die Prüfung sollte auf die Eigenschaften bezogen und so angelegt sein, daß keine Verfälschungen der Ergebnisse erfolgen und bei einem erneuten Test das gleiche Ergebnis erwartet werden kann.

Dazu kommt ein Vergleich der Preise.

Die überprüften Eigenschaften können – je nach Interesse und Verwendung – für Menschen unterschiedlich wichtig sein. Bei einem Fotoapparat ist z.B. nicht für jeden wichtig, daß möglichst wenig einzustellen ist.

Wie testen wir die Radier- und Schreibfähigkeit eines DIN A 4 Blattes

Arbeitsgang → Arbeitsmittel

1. Schreibfähigkeit mit Kugelschreiber, Buntstift, Filzstift, Füller prüfen → DIN A 4 Blatt, Kugelschreiber, Buntstift, Filzstift, Füller
Durchdruck feststellen (stark oder dünn) → Lupe, starke Lampe
2. Prüfung der Radierfähigkeit mit Radiergummi → Radiergummi, Papierblatt DIN A 4
Durchdruck und Sauberkeit feststellen → Lupe, starke Lampe
Prüfen, ob bei Linienpaier die Linien noch genauso stark wie vorher sind → Lupe, starke Lampe
3. Prüfung der Radierfähigkeit mit Tintentod → Tintentod, DIN A 4 Papierblatt
Auslöschen der Tinte → Tintentod
Durchdruck und Sauberkeit feststellen → Lupe, starke Lampe
Prüfen, ob bei Linienpapier die Linien noch genauso stark sind wie vorher → Lupe, starke Lampe
4. Prüfung der Schreibfähigkeit nach Radieren
Nach Radieren nochmals beschreiben und die Schrift prüfen → Lupe, starke Lampe **4**

H Testet nur Produkte, bei denen möglichst zwei oder mehr wichtige Eigenschaften überprüft werden können, z.B.

- Haltbarkeit,
- Preis,
- Bedienung,
- Sicherheit . . .

Beispiele dazu findet ihr auf dieser Doppelseite.

A Beobachtet auch in Supermärkten, wie und wo Testergebnisse bisweilen verwendet werden.

Ihr könnt nun darüber sprechen, was Warentests für Käufer und Verkäufer bedeuten.

A Überlegt Verfahren, wie wichtige Eigenschaften von Waren möglichst klar feststellbar sind durch

- ○ Benutzung und Vergleich vorher – nachher,
- ○ Messen,
- ○ Wiegen,
- ○ Reinigung,
- ○ Beanspruchung,
- ○ . . .

Überlegt dabei, was bei Kugelschreibern, Toilettenpapier, Küchentüchern, Kassetten, T-Shirts . . . für euch besonders wichtig ist.
Erstellt einen Maßstab zur Bewertung.
Tragt die Ergebnisse in Tabellen ein, die

- ○ Name oder Bezeichnung,
- ○ getestete Eigenschaften und deren Bewertung,
- ○ Preis,
- ○ Gesamtbewertung der Produkte

enthalten.

Billige Kombis für junge Leute

Was diese Kombis vor allem bei Jugendlichen, aber auch bei älteren Jahrgängen (als Zweitgerät) so beliebt macht, ist ihre vielseitige Verwendbarkeit. Man kann zum Beispiel Rundfunksendungen hören und gleichzeitig mit dem Recorderteil aufnehmen, Musikkassetten abspielen oder mit dem eingebauten Mikrofon Eigenaufnahmen machen. Und sie sind überall spielbereit, da sie sowohl mit Netzstrom als auch mit Batterien betrieben werden können. Bei der enormen Nachfrage kann es nicht verwundern, daß die Angebotspalette entsprechend groß und breit gefächert ist. Ein heißer Preiskampf ist da unvermeidlich.

Unser Rat

Beim Kauf sollte man sich von vornherein darüber im klaren sein, daß billige Radiorecorder höheren Ansprüchen nicht gerecht werden können. Dazu ist allein schon der Stereo-Effekt wegen des geringen Abstandes zwischen den eingebauten Lautsprechern zu schwach. Und auch ihre Ausstattung hält sich in bescheidenen Grenzen. Trotz dieser Einschränkungen können aber die meisten der geprüften Modelle durchaus ihren Zweck als mobiler Unterhalter erfüllen.
Nur vier der 20 Stereo-Radiorecorder schnitten insgesamt „gut" ab: Philips D 8164 (ca. 195 Mark), Sharp GF 454 H (ca. 229 Mark) und GF 4343 H (ca. 169 Mark) sowie Telefunken RC 760 (199 Mark). In der Qualität und Ausstattung unterscheiden sie sich nur wenig. Sharp GF 454 H hat gegenüber den drei anderen Radiorecordern den Vorzug, daß er sich „sehr gut" bedienen läßt. Außerdem zeigte dieses Modell in keinem Prüfpunkt Schwächen. **5**

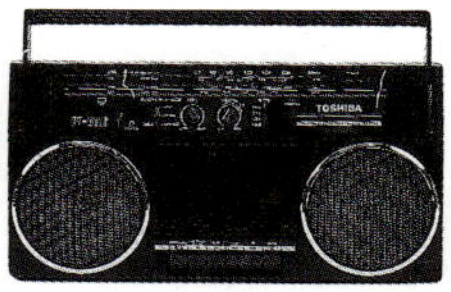

Fabrikat Anbieter-Adressen siehe Seite 30	Philips D 8164		Toshiba RT 6016	
Preis nach Markterhebung in DM	155,– bis 228,–		97,– bis 179,–	
Mittlerer Preis in DM	195,–		138,–	
test-Qualitätsurteil	GUT		MANGELHAFT	
AUSGANGSLEISTUNG	groß		groß	
RUNDFUNKBETRIEB	gut		zufriedenstellend	
UKW-Messungen	zufriedenstellend	○	zufriedenstellend	○
Empfindlichkeit	zufriedenstellend	○	gut	+
Trennschärfe	zufriedenstellend	○	mangelhaft	–
Spiegelfrequenzunterdrückung	sehr gut	++	zufriedenstellend	○
AM-Unterdrückung	zufriedenstellend	○	sehr gut	++
Empfindlichkeit gegen Fehlabstimmung	groß	–	mittel	○
UKW-Hörtest	gut	+	zufriedenstellend	○
MW/LW-Messungen	zufriedenstellend	○	zufriedenstellend	○
MW/LW-Hörtest	gut	+	zufriedenstellend	○
Kurzwelle	mangelhaft	–	mangelhaft	–
RECORDERBETRIEB	gut		mangelhaf[illegible]	
Gleichlaufschwankungen	sehr gering	++		
Störabstand	mittel			
Hörtest (Musikkassetten)				
Hörtest (Eigenaufn[illegible]				

H Die Arbeit war kein Selbstzweck. Sie diente dazu, etwas zu erfahren, zusammenzustellen, z.B.

- wie sich Käufer verhalten,
- über Interessen der Verkäufer/Käufer,
- wie Qualität überprüft werden kann,
- wo es preiswert ist ...

Manchmal werden die Ergebnisse nur in der Klasse vorgestellt. Sie können aber auch anderen Klassen, den Eltern, anderen Schulen, manchmal auch Vertretern der Parteien, der Presse und im Falle dieses Kapitels z.B. Geschäftsleuten vorgelegt werden.

Zunächst sollte aber die gesamte Klasse über die Ergebnisse sprechen. Dabei muß die Möglichkeit bestehen, daß einzelne Schüler/innen Widerspruch erheben und das dieser ggf. auch im Material auftaucht.
Wenn die Ergebnisse nur mündlich vorgetragen werden, besteht die Gefahr der Langeweile.
Besser ist es, wenn die einzelnen Gruppen sich überlegen, wie sie die Ergebnisse ihrer Arbeit besonders „pfiffig" vorstellen können durch Bilder, Folie, Spiel, Anregung zum Gespräch ...

H Bisweilen ist es möglich, das, was ihr erarbeitet habt, auf die Richtigkeit, auf die Übereinstimmung mit anderen Ergebnissen, auf Zustimmung oder Ablehnung hin zu überprüfen.
Überlegt, ob die Überprüfung vor der gesamten Klasse stattfinden kann, oder ob sie ihr vorgetragen werden sollte.

I *Geschäfte überprüfen, ob sie auf Grund einer Werbeaktion mehr verkauft haben.*

Nach einem Jahr lassen die Volksvertreter/Parlamente überprüfen, ob die Verwaltung das bewilligte Geld sinnvoll verwendet hat.

Wenn ein Staudamm gebaut wurde, wird anschließend festgestellt, ob er seinen Zweck – Verhinderung von Überschwemmung, Wasserspeicherung zur Wasserversorgung, Antrieb von Turbinen – erfüllt.

Alles, was Zeit und Geld kostet, wird in der Regel auf seine Ergebnisse, seine Zweckmäßigkeit überprüft.

A Nach der Arbeit solltet ihr euch fragen, was gut geklappt hat, was weniger gut. Ihr solltet auch nach den Ursachen für Erfolge und Mißerfolge forschen. Überlegt, wie ihr beim nächsten Mal an die Arbeit geht.

Häufig ist etwas mißverstanden worden. Auch das solltet ihr klären.

Ihr solltet versuchen, den Schülern zu helfen, die weniger gut arbeiten und unter Umständen denen, die sich zu sehr vordrängen, empfehlen, sich etwas mehr zurückzuhalten.

Vor allem aber muß auch diskutiert werden, wie es insgesamt mit der Arbeit weitergehen kann.

Eine solche Diskussion muß immer in der gesamten Klasse erfolgen. Dabei sollte eine entspannte Atmosphäre herrschen. Anders ist ein offenes Gespräch nicht möglich.

I In späteren Kapiteln werdet ihr noch erfahren, daß eine der Voraussetzungen von gutem Leben, von Wohlstand ist, daß Waren gekauft bzw. verkauft werden.

Jeder einzelne hat aber mehr von seinem Geld, wenn er preisbewußt und qualitätsbewußt kauft, was er benötigt oder was er haben will.

In diesem Einführungskapitel solltet ihr etwas über Einkauf erfahren.
Nun solltet ihr zu den folgenden Punkten etwas sagen können:

- Interessen von (Ver)Käufern: . . .
- Einkauf früher, heute: . . .
- Einkaufshilfen: . . .
- Prüfung der Qualität: . . .
- Vergleich von Angeboten: . . .

1. Wo wir leben

Es gibt Großstädte und Dörfer, Orte im Gebirge und an der See, Gemeinden mit Industrie, Ausflugs- und Erholungsorte . . .
Wo lebt ihr?

Was wißt ihr über euren Wohnort?
Wie würdet ihr ihn Freundinnen und Freunden, Bekannten und Verwandten, die in einem anderen Ort leben, beschreiben?
Was würdet ihr ihnen zeigen, wenn sie euch besuchten?

In fast jedem Ort gibt es Schwierigkeiten. Von einigen seid auch ihr direkt betroffen. Vielleicht
- soll eine Umgehungsstraße gebaut werden und nicht alle wollen sie haben?
- ist man sich nicht einig, wie die Hauptstraße umgestaltet werden soll?
- spielen die Kinder lieber auf der Straße als auf dem Spielplatz?
- müßt ihr eine gefährliche Straße überqueren, wenn ihr zur Schule geht?

Ziele der Arbeit: Ihr solltet einiges über euren Ort aussagen und benennen können, wo es Probleme gibt. Vielleicht findet ihr Vorschläge für Lösungen.

A Ihr könnt versuchen, einen Prospekt eurer Umgebung, z.B. eures Stadtteils, eurer Straße zu gestalten.

Ihr könnt aber auch
- das Für und Wider einer geplanten Umgehungsstraße,
- die Hauptstraße,
- die Spielplätze untersuchen,
- fragen, wie Behinderte in eurer Stadt zurechtkommen können,
- überprüfen, ob die Schulwege sicher sind.

H Schüler, die etwas wissen oder Vorschläge haben, tragen sie vor. Alle diskutieren die Möglichkeiten zur Arbeit. Ihr solltet dabei unterscheiden:
- Was wißt ihr schon (bekannte Information)?
- Was braucht ihr an weiteren Informationen?
- Was kann bearbeitet werden?

H Auch in eurem Ort sind in den letzten Jahren Veränderungen vorgenommen worden, um die Straßen vom Verkehr zu entlasten, die Hauptstraße schöner zu gestalten, um Fußgänger vor dem Verkehr zu schützen, Behinderten zu helfen ... Vergleicht sie mit dem Beispiel aus Idar-Oberstein auf dieser Seite.

H Was spricht für die Lösung in Idar-Oberstein, was dagegen? Wer hat Vorteile, wer Nachteile? Woran wurde gedacht, woran nicht?

I *Idar-Oberstein liegt im Tal der Nahe. Der Verkehr quälte sich durch die enge Altstadt entlang den Ufern des Flusses. Um die Autoschlangen aus den engen Gassen zu verbannen, war eine breite Autostraße notwendig. Eine Straßenführung um die Stadt herum war wegen der Berge zu schwierig . So wurde die Nahe zugebaut. Wo sich früher der Fluß durch die Stadt schlängelte, ist heute eine breite Straße, die den gesamten Verkehr durch das enge Tal aufnimmt. Unter dem Beton der Autostraße fließt immer noch die Nahe.*

A Auf dieser Doppelseite findet ihr fünf Anregungen für das, was ihr tun könntet:

Einen Prospekt für die Gemeinde erarbeiten. Vorher ist zu klären:

- ○ Wer könnte sich dafür interessieren?
- ○ Was sollte er enthalten?
- ○ Wie kommen wir an Material?
- ○ ...

Die Hauptstraße in eurem Ort oder dort, wo eure Eltern und ihr einkauft, untersuchen:

- ○ Ist dort zu starker Verkehr?
- ○ Gibt es Parkplätze?
- ○ Welche Geschäfte gibt es?
- ○ Gibt es schöne Ruheplätze?
- ○ Gibt es Gaststätten und haben sie im Sommer Sitzplätze im Freien? ...

Spielplätze untersuchen. Hier sind die Fragen:

- ○ Wieviele Spielplätze gibt es?
- ○ Wird dort gespielt?
- ○ Was können die Kinder dort spielen?
- ○ Was tun die Kinder dort?
- ○ Beklagen Kinder und Eltern zu wenige Spielplätze, schlecht ausgestattete Plätze? ...

Herausfinden, ob der Schulweg sicher ist:
○ Welche Wege werden benutzt?
○ Gibt es gefährliche Stellen?
○ Lassen sich vielleicht sicherere Wege finden?
○ Können Gefahrenstellen sicherer gestaltet werden? . . .

Beobachten, ob Behinderte zurecht kommen:
○ Gelangen sie ohne weiteres ins Rathaus, wenn sie im Rollstuhl fahren müssen?
○ Macht es Schwierigkeiten, wenn ein Behinderter im Bus mitfahren will? . . .
Schaut euch dazu das Material auf Seite 25 an.

H Entscheidet, was ihr bearbeiten wollt und plant dann:
Was soll gemacht werden (Sammeln, Befragen, Beobachten, Ordnen, Zusammenstellen, Zeichnen, Schreiben, Fotografieren . . .)?
Wer soll es machen (jeder macht alles, jeder etwas Verschiedenes, Gruppen arbeiten zusammen . . .)?
Wann soll es gemacht werden (am Nachmittag als „Hausaufgabe“, während des normalen Unterrichts, an einem besonderen Tag . . .)?
Wie soll es gemacht werden (nur von der Klasse, von mehreren Klassen, mit den Eltern, in Zusammenarbeit mit der Stadtverwaltung, mit Parteien . . .)?
Wo soll es gemacht werden (in der Klasse, in die alles Material mitgebracht wird, an bestimmten Punkten des Ortes . . .)?
Was soll noch geschehen (Filme ansehen, Kooperation mit dem Rundfunk, Vergleich mit der Arbeit anderer Klassen . . .)?

A Auf dieser Doppelseite ist nun genauer aufgelistet, nach welchen Gesichtspunkten ihr arbeiten könnt.

Wenn ihr einen Prospekt über die Gemeinde machen wollt:
○ Sammeln von Bildern und Berichten,
○ Suchen von Artikeln in Lexika,
○ Zusammentragen von Reisebeschreibungen,
○ Befragung der Verwaltung über Angebote wie z.B. Führungen, Vorträge,
○ Beobachten, was die Einheimischen, was Auswärtige interessiert,
○ Beschreibung von Bauten, Parks, Seen, Freizeiteinrichtungen.
○ Befragungen (Interviews) von Erwachsenen, was angenehm in der Stadt ist, was man sehen sollte, was es zu erleben gibt.

Wenn ihr die Hauptstraße untersuchen wollt:
○ Zählen der Parkplätze,
○ an den Nummernschildern feststellen, woher die Autos kommen,
○ Zählen der verschiedenen Geschäfte (Lebensmittel, Möbel, Kleidung, Elektroartikel . . .)
○ Befragung (Interview) von Geschäftsleuten, ob sie mit der Straße, wie sie ist, zufrieden sind oder welche Änderungen sie wünschen.
○ Befragung von Passanten, was ihnen gefällt, ob und wie die Straße umgestaltet werden sollte.

Wenn ihr die Spielplätze untersuchen wollt:
○ Feststellen, wo es Spielplätze gibt,
○ Beobachten, wieviele Kinder dort jeweils spielen,
○ Abschätzen, wieviele dort spielen könnten oder sollten,
○ die Kinder befragen, wie sie den Spielplatz beurteilen,
○ selbst den Spielplatz ausprobieren und beurteilen,
○ den Spielplatz auf Sauberkeit untersuchen,
○ Feststellen, ob es gefährliche vorstehende Teile an den Spielgeräten gibt, ob Kinder sich bei Stürzen verletzen können . . .

Vielleicht gibt es auch Angst oder Ärger. Lest dazu die beiden Artikel auf dieser Seite.

Angst um die letzte Oase Spielplatz bedroht

Für die Bockenheimer Kinder und Jugendlichen ist der Abenteuerspielplatz an der Ginnheimer Landstraße zur Heimat geworden. Doch die ist jetzt bedroht. Die Stadt will schon im kommenden Jahr auf dem einzigartigen, 3700 Quadratmeter großen Stück Nidda-Aue eine neue Turnhalle bauen.

Die Kinder und Jugendlichen können nicht glauben, daß ihnen wieder ein Stück Natur und Freiraum genommen werden soll.

Doch Großstadtkinder, denen die Luft zum Atmen und der Raum zum Toben zwischen all den Häusern, Prunkbauten, Autolawinen und Straßen immer knapper wird, müssen sich jetzt ein weiteres Mal ängstigen, daß wieder eine ihrer wenigen Oasen verlorengeht. **1** bw

Mieter stöhnen unter dem Lärm der Kinder

Ärger gibt's seit einiger Zeit um das Haus Im Mellsig 26 in Alt-Eschersheim herum. Die Bewohner klagen über den Lärm vom angrenzenden Kinderspielplatz.

„Es geht uns ja gar nicht darum, daß der Spielplatz abgeschafft wird", antwortete eine Frau der Vertreterin des Jugendamtes, „wir wollen nur, daß alles in einem vernünftigen Rahmen bleibt und daß wir wenigstens in der Mittagszeit und abends etwas Ruhe haben. Und dazu wollen wir die Hilfe der Stadt."

Auch über Mittag toben Kinder auf dem Platz. Abends bleiben sie lange draußen, bis 8 Uhr, manchmal bis 10 Uhr. Nach ihnen kommen die Jugendlichen aus der Umgebung zum Stelldichein auf den Spielplatzbänken. **2** ei

Wenn ihr die Wege zur Schule beurteilen und Vorschläge zur Verbesserung machen wollt:

- ○ Zusammenstellung von gefährlichen Situationen, die ihr erlebt habt,
- ○ Beobachtungen an kritischen Punkten,
- ○ Beobachtungen des Schülerverhaltens,
- ○ Vergleich von Zeitaufwand für kurze und sichere Schulwege,
- ○ Beobachtungen von Anlässen, die zu verkehrswidrigem Verhalten führen,
- ○ Aufstellen von Schulwegplänen.

H Das Ergebnis oder die Ergebnisse der Arbeit können

- ○ an Freunde in anderen Orten verschickt werden,
- ○ mit anderen Klassen besprochen werden,
- ○ den Eltern vorgestellt werden,
- ○ mit Kommunalpolitikern diskutiert werden.

Sicher fallen euch noch weitere Möglichkeiten ein.
Die Ergebnisse können vorgestellt werden:

- ○ auf einem Prospekt,
- ○ durch einen Vortrag,
- ○ auf einer Folie, die an die Wand geworfen wird,
- ○ in einem Film,
- ○ in einer Schülerzeitung,
- ○ in Flugblättern . . .

Rollstuhlfahrer vor unlösbarem Problem
Fahrstuhl im Hochhaus lahmgelegt

Im Erdgeschoß eines 16stöckigen Hochhauses im Pfannmüllerweg 40 sah sich der 40jährige, querschnittsgelähmte Rollstuhlfahrer Wolfgang Z., zwei Stunden nach Mitternacht, mit einem für ihn unlösbaren Problem konfrontiert. Die Armaturen zweier Aufzüge waren zertrümmert worden. Dem schwerbehinderten Mann war jeder Weg zu seiner in der zwölften Etage gelegenen Wohnung versperrt. **3**

Eine neue Broschüre der Stadt für Behinderte

Welcher Bürger interessiert sich normalerweise dafür, wie breit die Toilette beim Arzt ist, oder ob er ein paar Stufen steigen muß, wenn er das Finanzamt aufsuchen oder in einer bestimmten Gaststätte speisen will? Für Behinderte sind Informationen dieser Art jedoch überaus wichtig, wenn sie sich nicht immer wieder auf vergebliche Wege begeben wollen. Mit einem Stadtführer für Behinderte, ein kleines, in jede Tasche passendes Buch, das sie jetzt vorgelegt hat, will die Stadt Maintal Rollstuhlfahrern und Gehbehinderten die tagtäglichen Enttäuschungen ersparen, die unüberwindbare Hindernisse wie Treppen oder zu schmale Türöffnungen bereiten. **4**

Beispiele aus dem „Stadtführer für Behinderte Berlin“

Stadtbad Reinickendorf (Paracelsusbad)
Roedernallee 200/204, 1000 Berlin 51, Tel. 4953021/22

Für Rollstuhlfahrer und Körperbehinderte nur bedingt geeignet. Zugang über eine steile Rampe. Begleitperson ist zu empfehlen. Der Aufzug ist eingeschränkt für Rollstuhlfahrer benutzbar (Abmaße).

Sommerbad Kreuzberg
Gitschiner Straße 18–31, 1000 Berlin 61, Tel. 25883195/96

Das Sommerbad ist behindertengerecht eingerichtet. Alle Bereiche stufenlos zugänglich. Behindertengerechte Umkleidekabinen und Duschen. Die Schwimmbekken sind Überlaufbecken, in die man hineingleiten kann.

H Ob ihr einen Prospekt erarbeitet, Pro und Kontra darstellt, etwas vermutet habt . . ., oft ist es möglich zu überprüfen, ob

- das eintritt, was ihr vermutet,
- das stimmt, was ihr behauptet habt,
- sich etwas verändert, z.B. der Schulweg durch Überwege und Ampeln sicherer wird, die Spielplätze gereinigt werden . . .

A Kurz nach Abschluß der Arbeit oder evtl. auch erst nach einiger Zeit könnt ihr die Ergebnisse eurer Arbeit mit

- Zeitungsberichten,
- amtlichen Zahlen usw. vergleichen.

Ihr könnt auch vergleichen, ob ihr Veränderungen wie auf den drei Bilderreihen kennt. Wie beurteilt ihr sie? Warum?

H Gleich nach Abschluß der Arbeit solltet ihr zusammen mit dem Lehrer oder der Lehrerin diskutieren:

- Was hat gefallen, was nicht?
- Was hat geklappt, was nicht?
- Wo war die Kooperation (Zusammenarbeit) gut, wo weniger?
- Wer war benachteiligt oder bevorzugt?
- Hat jemand besonders viel oder besonders wenig geleistet? Welche Gründe gibt es dafür?

In jedem Ort gibt es Besonderheiten und Probleme, die gelöst werden müssen . . .

Stellt zusammen – je nach Schwerpunkt der Arbeit:

- ○ Daten eurer Gemeinde (Gründungszeit, Einwohnerzahl, besondere Einrichtungen . . .)
- ○ Besonderheiten (z.B. Lage, Kurort, Museen, Burg, Gewässer . . .)
- ○ Programm für einen Besuch eures Ortes
- ○ Vor- und Nachteile der Hauptstraße, Einkaufsstraße (z.B. vorhandene und fehlende Angebote, Verkehr, Parkplätze . . .)
- ○ Spielplatzangebote (Zahl, Lage, Geräte, Spielmöglichkeiten, Gefahren, Sauberkeit . . .)
- ○ Schulweg (gefährliche Wege/ungefährliche Wege, Gefahrenpunkte, wichtige Punkte zur Sicherheit im Straßenverkehr, Schulwegpläne, Vorschläge, den Schulweg sicherer zu machen)
- ○ Pro und Kontra einer Umgehungsstraße (Standpunkt der Befürworter und Gegner)
- ○ Hilfen und Hindernisse für Behinderte (z.B. wo kommen Behinderte hin, wo nicht? Was wäre zu verbessern?)

2. Wie es früher war

Die Bundesrepublik Deutschland, Europa und die ganze Welt sind in vielen Jahrhunderten zu dem geworden, was sie sind.

Auch der Ort, in dem ihr lebt, war nicht immer so wie heute. Wie sah es früher aus? Wirkt das, was früher war, noch heute?

Ziele der Arbeit: Ihr solltet an einem Beispiel untersuchen, wie es früher war. Ihr solltet Beispiele benennen können für das, was sich geändert hat.

A Alte Burgen und Schlösser, Möbel und Spielzeug von früher können ebenso etwas „erzählen", wie Bilder einer Straße aus verschiedenen Zeiten.

Sucht euch ein Beispiel aus und versucht, folgende Fragen zu beantworten:

- Aus welcher Zeit stammt es?
- Welche Bedeutung hatte es?
- Was ist heute?
- Könnte es sich verändern?

H Ihr könnt in der Klasse eine Zeitleiste anbringen, an die ihr jeweils Bilder oder Kärtchen zu Ereignissen, Entstehung von Bauwerken . . . heftet.

Wenn die Zeitleiste 2 Meter lang ist und mit dem Jahre 0 beginnt, so stellt jeweils 1 cm 10 Jahre dar. Das reicht meist zur Darstellung der Ereignisse bis zum Jahre 1800 aus. Bringt zusätzlich darunter eine Leiste von wiederum 2 Metern für die Jahre 1800 bis 2000 an. Jeder Zentimeter bedeutet dann ein Jahr. So könnt ihr auch die neuere Entwicklung von der ersten Eisenbahn über die ersten Autos bis hin zu Ereignissen der letzten Jahre darstellen.

Frankfurt a. M., Zeil.

KAUFHOF
WOOLWORTH
Kaufhof
DEICHMANN
HAKO

00
1200
1300
1400
1500
1600
1700
1800

1890
1900
1910
1920
1930
1940
1950
1960
1970
1980
1990
2000

I *Die westlichen und südlichen Teile des heutigen Deutschland wurden nach und nach seit dem 1. Jh. vor Christus Teil des römischen Reiches. Erst 400 Jahre später endete das Römerreich in Deutschland.*

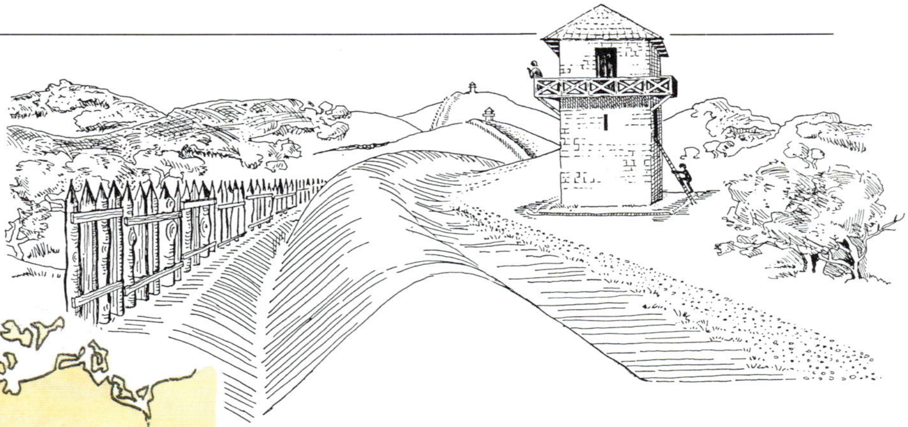

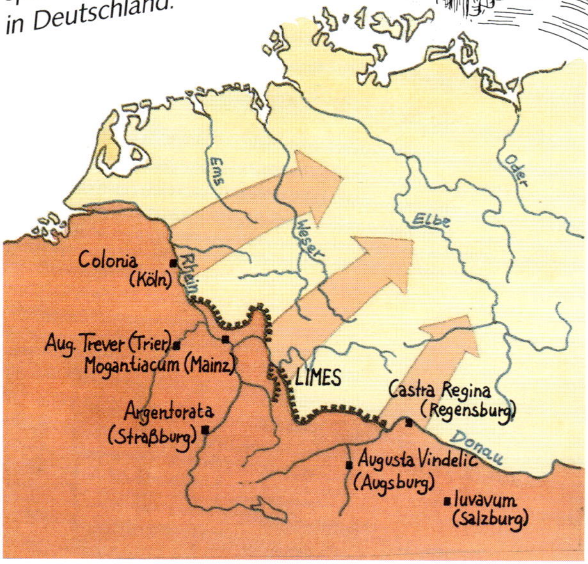

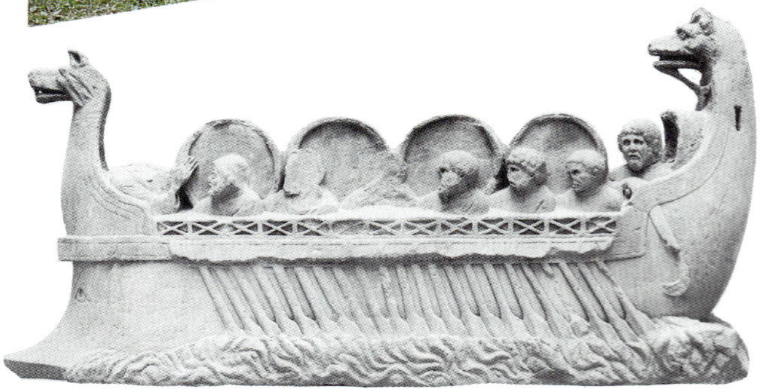

A Gibt es Zeugen aus der Römerzeit bei euch? Was läßt sich darüber erfahren? Wenn es Überreste aus der römischen Zeit irgendwo in eurer Nähe gibt – z.B. auch in einem Museum – könnt ihr sie besichtigen und darüber sprechen.

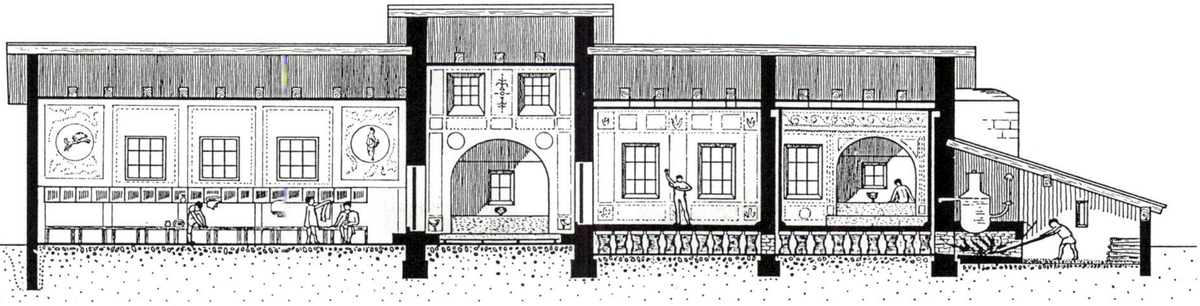

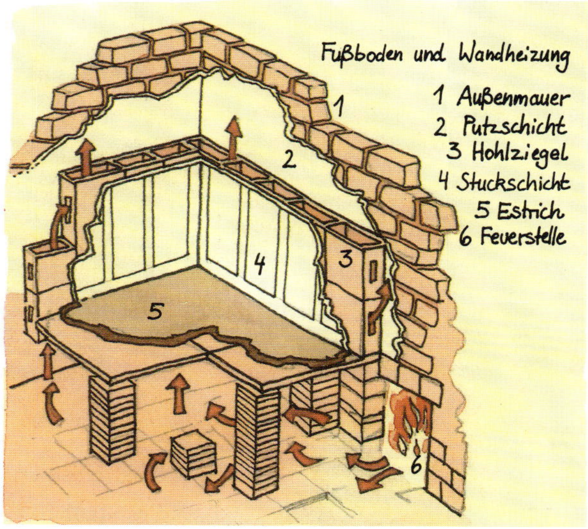

Mietskasernen und Straßenlärm in Rom

Das charakteristische Wohngebäude für die Masse der Bevölkerung war die Mietskaserne.

Bauweise und Komfort der Mietshäuser waren sehr unterschiedlich. Es gab insbesondere in den unteren Stockwerken, welche häufig an das Wasserleitungs- und Kloakennetz angeschlossen waren, Luxuswohnungen, aber oft, besonders in den Armenvierteln, ließen Ausstattung und Statik (Festigkeit) einiges zu wünschen übrig. Der Satiriker Iuvenal (geb. 67 n. Chr.) bietet uns ein zwar überzeichnetes, aber im Kern wohl nicht ganz unzutreffendes Bild der Wohnverhältnisse in den überfüllten Vierteln der Hauptstadt, wie etwa der Suburba (Vorstadt): „Selbst im traurigsten Neste / lebt sich's besser als hier im wilden Getriebe der Hauptstadt / mit ihren tausend Gefahren, den Häusereinstürzen und Bränden." Die Häuser, so Iuvenal, seien oft mit zu leichten Stützbalken erbaut, so daß die Wände einzustürzen drohten, und der Straßenlärm sei unerträglich: „Wen läßt die Mietwohnung schlafen? / Viel Geld kostet der Schlaf in der Hauptstadt, das ist des Übels / Kern! Allnächtig rollen die Reisewagen durch enger / Gassen Gewinkel, wo Herden sich stauen und Flüche der Treiber / hallen." **1**

Beschreibung der Stadt Augst

Das Forum, der Marktplatz, war einst in Rom wie in anderen Städten der Platz, an dem Markt abgehalten wurde.

An der Nord- und Südseite des Forums befinden sich Läden und Büros. Im Osten schließt die Basilica den Platz ab. Sie ist eine große Halle, die Geschäftsleuten und Vertragspartnern dazu diente, ihre Geschäfte auszuhandeln und abzuschließen, zum anderen fanden auch Gerichtsverhandlungen darin statt. Daran angebaut war die Curia, das Rathaus, in dem auch der Gemeinderat tagte.

Neben dem Hauptforum gab es in Augst einen weiteren Platz, der ganz von Geschäften umgeben war und auf dem Markt abgehalten wurde. Öffentliche Badeanlagen, die sog. Thermen, gehörten selbstverständlich zum städtischen Leben wie auch verschiedene Tempelbezirke, ein Amphitheater für Tierhetzen und Gladiatorenspiele sowie ein szenisches Theater, das ungefähr 8000 Sitzplätze hatte. In diesem Theater wurden meist Komödien, häufig mit musikalischen Einlagen, gespielt. **2**

Die 1000 Jahre zwischen etwa 500 n. Chr. und 1500 n. Chr. heißen Mittelalter.

A Was findet sich in eurer Nähe aus dem Mittelalter? Beschafft euch Material dazu (Stadtführer, Lexika) und ordnet es auf der Zeitleiste an. Versucht herauszufinden, wer in den Gebäuden lebte, was mit den Geräten gemacht wurde, was über die damalige Zeit bekannt ist.

H Von den mittelalterlichen Städten gibt es bisweilen Stiche (Zeichnungen, die in Platten „gestichelt" und dann gedruckt wurden). Was ist auf ihnen wiederzuerkennen?
Aus manchen mittelalterlichen Städten sind Geschichten überliefert. Sprecht darüber.
Auch von mittelalterlichen Burgen und Klöstern liegen häufig Stiche, Geschichten oder Berichte vor.
Das Heimatmuseum stellt oft eine Fundgrube dar.

Stadtleben im Mittelalter

Die Stadt hat ihren Markttag, die rote Fahne ist aufgesteckt, solange sie flattert, haben die fremden Verkäufer das Marktrecht. Auf Ständen, Tischen, in Krambuden und den Stadtbänken sind die Waren ausgelegt, das kleine Handwerk der Stadt zeigt im Gewühl der Fremden und Einheimischen, was der Fleiß des Bürgers in dieser Woche geschaffen. Am Stadttor ist Aufenthalt und Gedränge.

Hundert Geräte und Erfindungen, die wir heute noch gebrauchen, liegen auf dem Stadtmarkt des 14. Jahrhunderts feil, hundert andere des Schmucks, der Kleidung, des Hausrats müssen wir heute erst wieder deuten, weil sie uns fremd geworden.

Drüben im Garten der Predigermönche wird ein Schwein mit Stacheln gezeigt, damit man an ihm Gottes wunderbare Schöpfung schauen kann. Ein fahrender Klerikus (Theologiestudent) weist an der anderen Marktecke einen Kasten mit Schlangen vor, er hat sie, meint er, in der Nähe gefangen, sie gehorchten seinem Befehle, tanzten und hüpften. Und wieder ist einer zum Markt gekommen, dem der Rat erlaubt hat, kleine Vögel zu zeigen, die lachen können. Spricht ihr Herr, „Komm, Heinrich, und lache!", so tritt eines dieser Vöglein vor, neigt den Kopf zur Erde, erhebt ihn wieder und lacht aus Leibeskräften.

Die Kinder spielen vor den Straßentüren, der Nachmittag beginnt sich zu neigen, am Kirchhof drüben lehnt ein Spielmann mit Geige oder Sackpfeife am Zaune, und ein lustiger Geselle pfeift die neuesten Weisen. Plötzlich tanzt alt und jung neben den Gräbern, jauchzt um das Gotteshaus, springt den Reihen. Dagegen hilft kein Verbot. **3**

Burgleben im Mittelalter

Das Leben auf der Burg war im Alltag eine eintönige Sache.

Was der Reichsritter Ulrich von Hutten 1518 an den Nürnberger Patrizier (Stadtherren) Willibald Pirckheimer über sein Leben auf der Burg Steckelberg bei Fulda schreibt:

„Die Burg selbst, mag sie auf dem Berg oder im Tal liegen, ist nicht gebaut, um schön, sondern um fest zu sein; von Wall und Graben umgeben, innen eng, da sie durch die Stallungen für Vieh und Herden versperrt wird. Daneben liegen die dunklen Kammern, angefüllt mit Geschützen, Pech, Schwefel und dem übrigen Zubehör der Waffen und Kriegswerkzeuge. Überall stinkt es nach Pulver, dazu kommen die Hunde mit ihrem Dreck, eine liebliche Angelegenheit, wie sich denken läßt, und ein feiner Duft! Reiter kommen und gehen, unter ihnen sind Räuber, Diebe und Banditen. Denn fast für alle sind unsere Häuser offen, entweder weil wir nicht wissen können, wer ein jeder ist, oder weil wir nicht weiter danach fragen. Man hört das Blöken der Schafe, das Brüllen der Rinder, das Hundegebell, das Rufen der Arbeiter auf dem Felde, das Knarren und Rattern von Fuhrwerken und Karren; ja wahrhaftig, auch das Heulen der Wölfe wird im Haus vernehmbar, da der Wald so nahe ist. Der ganze Tag, vom frühen Morgen an, bringt Sorge und Plage, beständige Unruhe und dauernden Betrieb. Die Äcker müssen gepflügt und gegraben werden; man muß eggen, säen, düngen, mähen und dreschen. Es kommt die Ernte und Weinlese. Wenn es dann einmal ein schlechtes Jahr gewesen ist, wie es bei jener Magerheit (Regenmangel) häufig geschieht, so tritt furchtbare Not und Bedrängnis ein, bange Unruhe und tiefe Niedergeschlagenheit ergreift alle.“ **4**

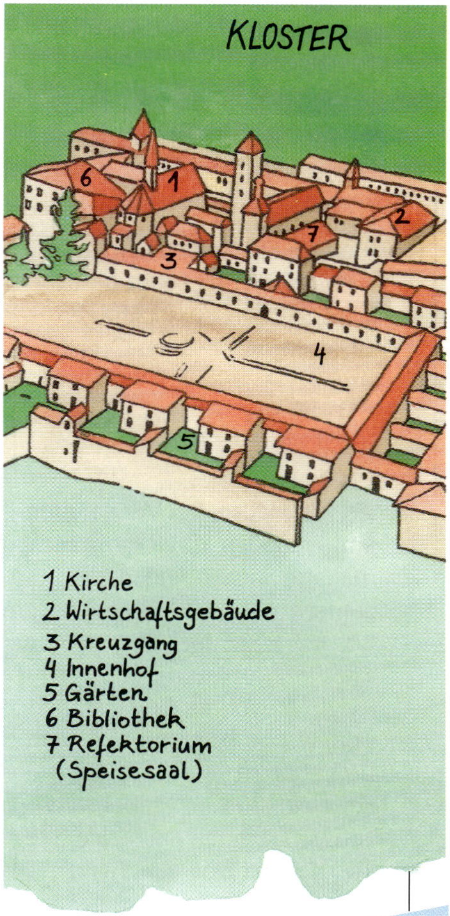

H In manchen Orten gibt es keine Zeugnisse aus der Römerzeit oder dem Mittelalter. Bearbeitet dann eine andere Zeit.

Dazu könnt ihr:
○ ältere Einwohner befragen,
○ das Heimatmuseum besuchen,
○ im Stadtarchiv nachfragen – vielleicht gibt es eine Ortschronik.

A Zu Hause, bei Verwandten und Freunden könnt ihr manchmal alte Sachen finden, die zumeist nicht 500 Jahre, sondern 50, 100 oder auch 200 Jahre alt sind.
Fragt, wie alt die Gegenstände sind, wo sie herstammen, wem sie gehörten . . .
Beispiele: Bücher, Möbel, Werkzeug, manchmal auch eine alte Taschenuhr, eine alte Tasse . . .
Laßt euch darüber erzählen und versucht zu schildern, was z.B. ein alter Schrank erzählen könnte.

Manche Schülerinnen und Schüler lesen Bücher, die in früheren Zeiten spielen. Sie können
○ darüber berichten und auch die Bilder zeigen,
○ Fragen stellen, wenn sie etwas nicht verstanden haben.
○ erzählen, wie die Menschen früher lebten.

In manchen Orten gibt es Traditionen (Überlieferungen aus alter Zeit), z.B. Bräuche wie Spiele und Gedichte zu Fastnacht, Ostern, Weihnachten . . ., religiöse Umzüge, Trachten . . .
○ Aus welcher Zeit stammen sie?
○ Welche Bedeutung hatten sie?

Ein alter Stuhl erzählt

Ein Mann ließ mich für seine Tochter bauen, als sie heiratete. Er sagte zu dem Schreiner, daß es ein guter Stuhl werden sollte, denn seine Enkel und Urenkel sollten auch darauf sitzen können.

Aus Brettern wurden die Teile für mich, den Stuhl, mit der Hand gesägt. Oben an der Lehne und an den Füßen wurden Verzierungen geschnitzt. Die Rückenlehne bekam außerdem aus anderem Holz eine Figur eingelegt.

Ich wurde mit Wachs, Öl und Lacken behandelt. Nach vielen, vielen Tagen Arbeit war ich fertig. Ich kostete den Mann soviel, daß er über eine Woche dafür arbeiten mußte.

Auf mir saßen nicht nur die Tochter, sondern auch die Enkel und Urenkel. Noch heute lebe ich, so stabil bin ich gebaut. Sicher werde ich viele Stühle, die heute hergestellt werden, auch noch überleben.

A Es gibt auch alte technische Geräte wie Kaffeemühlen, Haarschneider, altes Spielzeug, Feuerzeuge, Uhren, Türschlösser . . . Schaut euch evtl. auch auf Flohmärkten um.

Beschreibt die alten Geräte. Warum sehen sie so aus, unter welchen Bedingungen mußten sie funktionieren?

A Ihr könnt Spiele versuchen:
- ○ Eine Reise um 1850 (Denkt daran, daß die erste Eisenbahn in Deutschland erst 1835 fuhr. Nur wenige Leute konnten sich eine Kutsche leisten . . .)
- ○ Ein Winterabend auf dem Lande um 1850 (Denkt daran: Es gab noch kein elektrisches Licht, erst recht kein Radio und Fernsehen . . .)
- ○ Ein Sonntagsessen um 1850 (Denkt daran, daß es erst seit Mitte des 18. Jahrhunderts die ersten Kartoffeln bei uns gab. Es gab weder Gas- noch Elektroherde. Im Winter konnte nur das Obst und Gemüse gegessen werden, was im Sommer und Herbst geerntet wurde. Es mußte haltbar gemacht werden durch Einlegen in Essig, Einsalzen . . . Auch das Einkochen in Krüge und Gläser begann damals. Fleisch wurde eingesalzen oder geräuchert . . .)

Fernsehfilme zeigen manchmal etwas vom Leben früherer Zeiten. Bücher können manche Einzelheiten erzählen. Ihr findet sie evtl. in der Schulbücherei, sonst z. B. in der Stadtbibliothek.

Ein Morgen auf dem Lande um 1850

Früh wurde die Familie von der Kirchturmglocke geweckt. Das Geld reichte nicht, um eine der neuen Weckeruhren zu kaufen.

Zuerst schaute die Bäuerin, ob noch Feuer im Herd war. War es aus, ging sie zur Nachbarin und holte sich dort etwas Glut, legte einige Holzspäne auf, damit das Herdfeuer anging. Leute erzählten, daß es in Frankreich Hölzchen mit Phosphor und Schwefel gäbe, mit denen sich sofort Feuer machen ließe.

Dann mußte das Vieh versorgt werden. Mit Eimern wurde Wasser aus dem Brunnen geschöpft. Aus der Scheune war Futter zu holen. Die Kühe wurden gemolken, die Milch im Keller kaltgestellt.

Mit Wasser vom Brunnen wurde Kaffee gekocht. Man verwendete gebranntes, gemahlenes Korn als Kaffee.

In vielen Familien gab es morgens auch eine Suppe, meist eine Milchsuppe mit Graupen oder Mehl zubereitet. Brot wurde selbst – meist für zwei Wochen – gebacken. Gebuttert wurde etwa einmal in der Woche. Marmelade wurde im Herbst gekocht. Die Herstellung von Pflaumenmus war oft ein kleines Fest. Die Pflaumen mußten mehrere Tage kochen, um zu einem dicken, süßen und haltbaren Mus zu werden.

A Schaut euch alte Häuser an, die wie die auf den Bildern unten etwa 100 Jahre alt sind. Versucht Informationen zu bekommen und zu erzählen, was in ihnen vorging.

Ihr könnt auch
- ○ Eingänge, Flure und Treppenhäuser ansehen. Was ist anders als in neueren Häusern? Warum?
- ○ Durchgänge und Höfe von großen Stadthäusern erkunden. Wer lebte dort? Welche Kinder spielten in den Höfen?
- ○ Villen anschauen. Wer konnte sich diese großen „Einfamilienhäuser" leisten? Wozu wurden die Gärten und Parks genutzt?

Vor etwa 100 Jahren

In vielen Städten gab es in „guter Lage" Häuser mit zwei Eingängen. An einem stand „Für Herrschaften". Er führte in ein großes Treppenhaus. Die Wände waren oft kunstvoll verziert. Die Treppenstufen waren aus Marmor oder mit Teppichen belegt. Das Treppengeländer war geschnitzt oder kunstvoll gedrechselt. Am anderen Eingang stand „Für Dienstboten". Eine einfache Treppe – manchmal sogar mit Eisenstufen – führte zu Hintereingängen der Wohnungen, meist direkt in die Küche.

In weniger guter Lage gab es neben dem Vorderhaus ein oder mehrere Hinterhäuser.

Fabriken standen meist etwas außerhalb. Handwerker mit ihren Werkstätten arbeiteten aber immer in den Städten, oft in den Hinterhöfen. Dort gab es auch andere kleine Betriebe, z. B. Fuhrunternehmen mit ihren Ställen für die Pferde und Schuppen für den Wagen.

In den Hinterhäusern befanden sich die Toiletten zumeist im Treppenhaus und mußten von mehreren Familien benutzt werden. In den teureren Wohnungen gab es schon Toiletten mit Wasserspülung und auch Bäder. Auch Zentralheizungen – mit Kohle beheizt und vom Hausmeister bedient – fanden sich in den teuersten Wohnungen.

A Versucht, das Leben um 1900 in einem Spiel darzustellen. Ihr könnt euch auch an einer Zeichnung des Lebens damals versuchen. Ebenso ist ausführliches Erzählen und Schildern möglich.

Beispiele:
- ○ Eine Waschfrau um 1900 (Stichworte: Waschkessel, Waschbrett . . .)
- ○ Ein Arbeiter um 1900 (Stichworte: Arbeitszeit, täglich etwa 12 Stunden, laute, staubige – im Winter kalte – Hallen. . .)
- ○ Schule um 1900 (Stichworte: Manche Schulgebäude stammen aus dieser Zeit. Aber: damals gab es nur Schulbänke statt Tische und Stühle, der Lehrer saß hinter dem erhöhten Katheder und benutzte den Rohrstock . . .)

A Ihr könnt euren Ort erkunden:

- Was sagen alte Straßennamen?
- Wie waren die Verkehrsverbindungen?
- Was arbeiteten die Menschen?
- Was feierten sie?
- Gab es Nöte und Katastrophen und warum?

Befragt dazu alte Leute in eurem Ort, z.B. Großeltern oder Urgroßeltern.
Vielleicht ist sogar eine Ortschronik vorhanden.

Was ihr findet, könnt ihr in die Zeitleiste eintragen.

H Manchmal leben noch Menschen in alten Häusern, die ihre Großeltern oder Urgroßeltern vor ca. 100 Jahren gebaut oder bezogen haben. Sie haben häufig noch alte Fotos. Oft stehen noch einige alte Möbel in den Zimmern.

Versucht über Eltern oder Freunde Kontakte zu bekommen, damit einige von euch ein solches Haus besuchen können. Sammelt Material. Stellt es der Klasse vor.

Zum Schluß solltet ihr einige Vergleiche von früher zu heute durchführen können und Überlegungen über die weitere Entwicklung anstellen.

Heute:	Früher:
Im Hause:	
Waschmaschine	
Elektroherd	
Zentralheizung	
Radio	
. . .	
Verkehr:	
Auto	
Flugzeug	
. . .	

Heute:	Früher:
Arbeit:	
35 bis 40 Stunden Arbeit in der Woche	
Arbeit sparende Maschinen	
. . .	
Freizeit:	
Reisen	
Disco	
. . .	

3. Leben und arbeiten in der Schule

In jeder Schule gibt es Schulleiter oder Schulleiterin, das Lehrerkollegium, Sekretärinnen, Reinigungskräfte, Hausmeister ... Was wißt ihr von deren Aufgaben?

„Wenn alles schläft und einer spricht, so war das früher Unterricht." Stimmt der Satz? Wie ist das heute?

In eurer Schule gelten Regeln. Kennt ihr sie? Wer hat sie gemacht?

Welche Erwartungen habt ihr an die Schule? Lassen sie sich verwirklichen?

Ihr habt auch eine Schülervertretung (SV). Was macht sie?

Auch die Lehrer und Lehrerinnen haben Erwartungen. Wie sehen diese aus?

Schülerinnen und Schüler haben oft sehr unterschiedliche Wünsche. Es gibt Gruppen, Freundschaften, aber auch Feindschaften. Wie kommt ihr miteinander aus?

Manche Schulen haben Schüler aus vielen Ländern der Welt. Wie versteht ihr euch?

Es gibt Schüler, die Angst haben. Andere fühlen sich nicht verstanden. Könnt ihr euch miteinander verständigen und euch in schwierigen Situationen helfen?

Ziele der Arbeit: Ihr solltet die Schulordnung, Möglichkeiten der Kooperation, Entscheidungs- und Mitwirkungsmöglichkeiten der Schüler kennen und in der Lage sein, Probleme, die in der Klasse bestehen, anzusprechen.

I Schulen stehen unter der Aufsicht des Staates (Art. 7 Abs. 2 des Grundgesetzes). Die Gebäude der öffentlichen Schulen gehören dem Kreis oder der Gemeinde. Sie sorgen auch für Renovierungen, Anbauten usw. Die Länder stellen die Lehrer an, legen Lehrpläne fest. Neben den öffentlichen gibt es auch private Schulen.

A Was ist an der Schule zu entscheiden? Wer entscheidet es? Dürfen Schüler mitentscheiden?
Befragt dazu Lehrer, Schulleitung, Hausmeister ... Die Schulleitung kann euch Bestimmungen über Zeugnisse, Wandertage ... zeigen. Vergleicht sie mit den Bestimmungen auf dieser Seite.

Aus dem Schulrecht

Die Verantwortung für Kleidung, Haarschnitt, Körperpflege und Kosmetik obliegt ausschließlich den Eltern und den Schülern selbst, niemals der Schule.

Die Verantwortung für das außerschulische Verhalten des Schülers trifft grundsätzlich die Eltern und, seinem Reifegrad entsprechend, den Schüler selbst.

Das Grundrecht der freien Meinungsäußerung (Art. 5 Abs. 1 GG) steht dem Schüler zu. Es ist Aufgabe der Schule, ihn zu befähigen, einen eigenen Standpunkt zu gewinnen und diesen zu vertreten. Der Schüler soll lernen, in Rede und Widerrede zu neuen Einsichten vorzudringen. Die Schule, die die freie Meinungsäußerung der Schüler behindert, hemmt seine Persönlichkeitsentwicklung und verstößt damit gegen ihren Bildungsauftrag. Sie verletzt ihre Pflicht aber auch, wenn sie Meinungszwänge erzeugt, fördert oder duldet.

Der Schüler ist berechtigt, innerhalb und außerhalb des Unterrichts jede, auch die unbequemste, abwegigste und dümmste Meinung zu äußern. **1**

I Jede Klasse kann - zusammen mit der Lehrerin oder dem Lehrer – regeln, wie die Möbel gestellt werden, ob Blumen am Fenster stehen, welcher Schmuck an die Wand kommt und auch, wie zusammengearbeitet werden soll.

Für die gesamte Schule wird der Stundenplan aufgestellt. Auch die Pausenordnung und die Schulordnung gelten für die ganze Schule. Vom Land werden Schulpflicht, Zahl der Stunden in einem Fach, Pläne für die Fächer bestimmt.

Überall gibt es auch gewählte Vertretungen der Schüler. Sie haben nicht nur das Recht, gelegentlich ein Fest zu veranstalten, sondern können auch die Wünsche und Vorschläge der Schüler der Schulleitung oder Lehrerkonferenz vortragen ...

A Wie ist das mit Noten und Zeugnissen? Wer schreibt sie vor? Wem nützen sie? Wer bestimmt, was „gut" und was „ausreichend" oder „mangelhaft" ist? Lehrer/innen können euch ihre „Maßstäbe" erklären.

H Dieses Gespräch findet, bevor die Zeugnisse geschrieben werden, in vielen Klassen statt. Bittet die Lehrerin oder den Lehrer zu erklären, was die Noten bedeuten, warum die Leistung einer Schülerin mit „gut", die eines Schülers mit „ausreichend" benotet wurde.

A Was geschieht bei euch in den Pausen auf dem Hof? Was gefällt euch daran, was weniger?

Welche Interessen und Wünsche haben die Schüler? Dazu könnt ihr eine Umfrage machen.

Was wünschen die Eltern? Fragt auch sie.

Läßt sich euer Pausenhof umgestalten?
Wie wäre das zu verwirklichen?
Durch wen?

I Trotz unterschiedlicher Ideen, Wünsche und Bedürfnisse müssen Schüler/innen in der Klasse zusammenarbeiten. Das kann erreicht werden durch
- ○ Zwang,
- ○ Überzeugung/interessanten Unterricht,
- ○ unterschiedliche Arbeit der Schüler/innen (sie bearbeiten allein oder in Gruppen Teilthemen, wobei die einen schreiben, die anderen zeichnen, wieder andere lesen oder ordnen . . .)

und
- ○ Regeln.

Es muß Regeln geben.
Wichtig ist:
- ○ Wie sehen sie aus?
- ○ Wer macht sie?

Ein schöner Traum

Ich habe einmal im Bus von der neuen Schule geträumt. Ich habe gute Freunde in der Klasse. Ich bin immer im A-Kurs und habe viele Einser in allen Fächern. Ich habe nie Hausaufgaben auf und nur am Montag und am Freitag Schule. Wir haben immer erst um 10^{00} Uhr Unterricht. Hausaufgaben kriegen wir nie. Ich habe eine nette Lehrerin und möcht später auch Lehrerin werden.

Ein Alptraum

Ich habe einmal von der neuen Schule geträumt. Da ist es ganz schlimm. Ich habe immer in allen Fächern schlechte Noten. In Mathe und Englisch bin ich im C-Kurs. Die älteren Schüler ärgern mich oft. Wir haben jeden Tag 6 Stunden und so viele Hausaufgaben auf, daß ich keine Zeit zum spielen habe. Unser Lehrer ist sehr streng und erklärt so wenig.

A Beobachtet, welche Regeln in eurer Klasse gelten, z. B. für die Sitzordnung, das Melden, Gespräche, Beseitigung von Abfällen, Wischen der Tafel, Stundenbeginn, Stundenende . . . Schreibt die Regeln auf. Überlegt, ob sie zweckmäßig und gerecht sind, wen sie bevorzugen, wen sie evtl. benachteiligen.

Fragt auch Lehrer oder Lehrerin, was sie über die Ordnung und Regeln in eurer Klasse denken.

Bedenkt, daß es sehr unterschiedliche Unterrichtssituationen gibt (offenes Gespräch, Einführung in ein neues Thema, Übungen auf dem Sportplatz, Arbeit in Fachräumen . . .).

Franzi

Franzi war ein seltsames Mädchen. Die täglichen Hausaufgaben waren für sie Pflicht und Hobby in einem. Sie war bestimmt die einzige in der Klasse, die sich über Hausaufgaben freute. Was hätte sie nachmittags sonst tun sollen, außer lernen?

Ab und zu besuchte Franzi die Nachbarin. Aber erstens hatte Frau Suck wenig Zeit, und zweitens lag sie Franzi dauernd mit blödsinnigen, weil undurchführbaren Ratschlägen in den Ohren.

„Du brauchst eine Freundin", stellte sie spätestens nach fünf Minuten fest. „Ich verstehe nicht, warum du keine hast. Du bist doch nicht dumm, und häßlich bist du auch nicht." Dann musterte sie Franzi von Kopf bis Fuß. „Um deine Haare kann man dich beneiden, Franzi. Außerdem bist du nicht zu dünn und nicht zu dick, also ich weiß nicht . . . Manchmal denke ich, du bist einfach zu bequem und zu ängstlich, um auf andere zuzugehen.

Das Lernen fällt dir leicht, aber mit den anderen in der Klasse Freundschaft zu schließen, davor drückst du dich. Franzi, du willst doch bestimmt kein Sonderling werden, den alle meiden, oder?"

Franzis Eltern war es natürlich recht, wenn ihre Tochter fleißig lernte und keine fremden Kinder ins Haus brachte, solange sie nicht da waren. Daß Franzi eine Freundin fehlte, merkten sie nicht. **2**

H In diesem Kapitel arbeitet ihr über euch und euer Leben in der Schule. Ziel ist, daß ihr mehr über Schule erfahrt und euch dort wohler fühlt.

Ihr müßt bedenken, daß es in jeder Klasse starke und schwache, beliebte und weniger beliebte Schüler gibt. Was könnt ihr tun, damit sich alle Schüler/innen möglichst wohlfühlen und miteinander und mit den Lehrern gut arbeiten können?

Schüler/innen, die sich weniger wohl fühlen, könnt ihr nicht zwingen, sich besser zu fühlen. Ihr müßt ihnen Zeit lassen, ihnen zuhören.
Das Material auf dieser Doppelseite kann euch helfen, sie besser zu verstehen.

A Versucht oft zusammen mit den Lehrern über Unterricht und die Situation in der Klasse zu sprechen.
Gesichtspunkte:
○ Wie fühlen sich die einzelnen Schülerinnen/Schüler?
○ Warum fühlen sich einige Schülerinnen/Schüler nicht wohl?
○ Was könnten Schüler/Schülerinnen und Lehrerinnen/Lehrer tun?
○ Welche Erwartungen haben Lehrerinnen und Lehrer?
Ihr könnt ein Soziogramm eurer Klasse dazu aufstellen.

A Bei wem stimmen Schulfreundschaften und Spielgruppe in der Freizeit überein?
Bei wem bestehen Unterschiede?
Sucht Gründe!

I *Ein Schaubild über Beziehungen von Menschen zueinander nennt man Soziogramm.*
Es läßt sich durch Fragen ermitteln wie:
○ Neben wem möchtest du sitzen?
○ Wen möchtest du zum Geburtstag einladen?
○ Wem würdest du ein Geheimnis erzählen? . . .

Die Wahl muß unbeobachtet stattfinden. Wollen sich zwei Personen gegenseitig einladen oder zusammenarbeiten, so ist davon auszugehen, daß eine Verbindung vorhanden ist. Gruppenbildung in der Schule hängt von der Zusammensetzung der Klasse ab. Spielgruppen in der Freizeit können völlig anders zusammengesetzt sein.

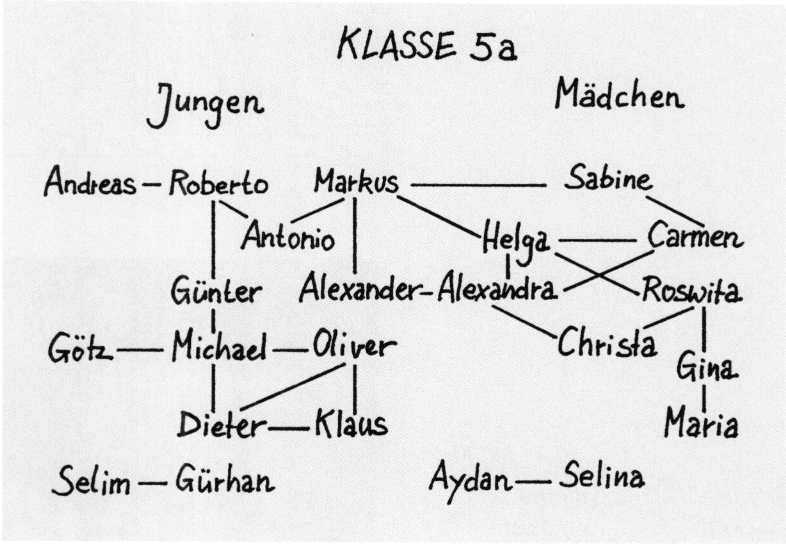

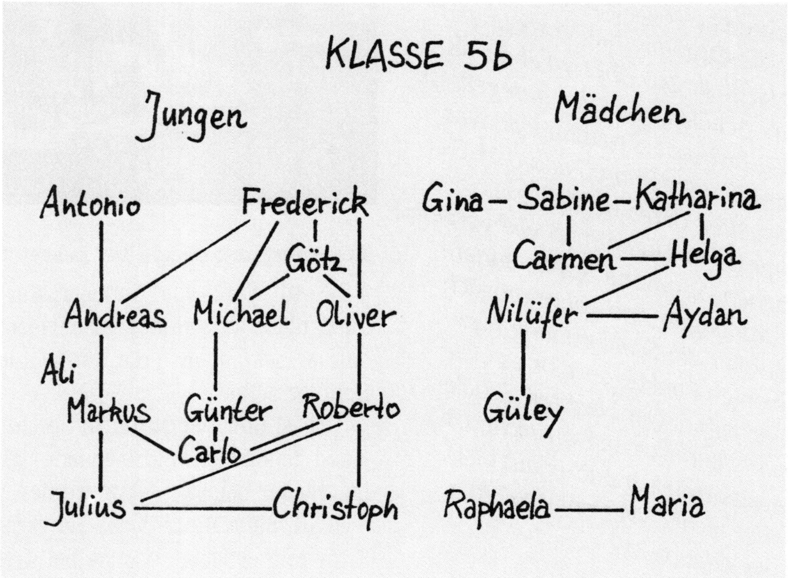

A Habt ihr eine Schulordnung? Von wann ist sie? Wer hat sie zusammengestellt und formuliert?
Vergleicht sie mit den Beispielen im Material.
Wenn ihr Probleme habt, so wendet euch an die Schülervertretung, den Vertrauenslehrer und sprecht vor allem auch mit eurer Klassenlehrerin oder dem Klassenlehrer darüber.

Schulordnung im Mittelalter
Die meisten Abbildungen, die einen Lehrer zeigen, geben ihm die kräftig ausladende Rute in die Hand. Sie ist sein Standessymbol. Beim Schreiben lernen, bei Verstößen im Singen und so weiter setzt es Prügel. Gerade die mittelalterliche Schulstube bedarf einer frischen Luftzufuhr, weshalb der – natürlich mit einer Rute bewaffnete – Lehrer das rechte obere Fensterlein öffnen ließ. Die beiden schwarzen Raben und weißen Tauben auf den Köpfen der Stadtschüler sind wie unser „schwarzes Schaf“ zu verstehen. **3**

I Schulordnungen bedürfen in der Regel der Zustimmung der Lehrerkonferenz, der Eltern und der Schülervertretung.
Jede Ordnung hat Vorteile und Nachteile sowohl für Lehrer als für Schüler. Wird viel geregelt, ist für fast jede Situation klar, was getan werden muß und darf. Der Nachteil dabei ist, daß alles immer so laufen muß wie vorgesehen. Spontane Spiele, andere Ordnungen sind kaum möglich. Enthält die Schulordnung nur wenige Punkte, so gibt es viele Freiheiten. Der Nachteil: Schüler und Lehrer wissen oft nicht, ob etwas möglich und erlaubt ist oder nicht? Wer entscheidet, was erlaubt ist?

Regierungsmaßregeln für Lehrer und Schüler (1886)

§ 29. Auf Wand- und Schiefertafel darf nichts mit der Hand abgewischt, auch nicht aufs Nasse geschrieben werden, die Tafeln müssen stets sauber sein, ebenso die Hände, die Nägel, Gesicht und Kleidung der Schüler selbst.

Griffel und Federn dürfen nicht früher, als geschrieben wird, in die Hand genommen und müssen sogleich, nachdem geschrieben worden ist, wieder beiseite gelegt werden.

§ 30. Beim Eintritt des Lehrers haben sich die Kinder von ihren Sitzen zu erheben, ebenso bei deren Weggang. **4**

A Sollte bei euch eine neue Schulordnung erarbeitet werden, so schaut euch möglichst viele Schulordnungen von Nachbarschulen an und sprecht mit den Schülern und Schülerinnen und möglichst auch mit den Lehrern und Lehrerinnen darüber, was sich bewährt hat und was weniger.

Auch auf dieser Seite findet ihr Beispiele für unterschiedliche Ordnungen.

Aus einem Schulgesetz (1828)

- Kein Kind darf ungewaschen und ungekämmt, noch in einem schmutzigen, nachlässigen Anzug in der Schule erscheinen.
- Jedes Schulkind soll mit Büchern, Federn, Schreibheften, oder was es sonst in der Schule nötig hat, versehen sein.
- Jedes Schulkind soll bei schlechtem Wetter vor der Schultür die Schuhe von Kot reinigen, den Lehrer beim Eintritt in das Schulzimmer grüßen und sich ruhig an seinen Platz verfügen.
- Alle Kinder sollen mit Verstand und mit Andacht des Herzens das Gebet vor und nach der Schule verrichten.
- In der Schule müssen alle Schüler still und ruhig sein und fleißig auf den Unterricht des Lehrers merken.
- Jedes Schulkind ist dem Lehrer willigen Gehorsam, Ehrerbietigkeit und Wahrheitsliebe schuldig.
- Die Kinder sollen in der Schule und mit dem Lehrer in rein deutscher Sprache sprechen.
- Ein Schulkind darf nicht das andere bei dem Lehrer boshafterweise verklagen oder verschwätzen oder wegen Leibesgebrechen und Naturfehler verlachen und verspotten.

„Müssen wir denn heute schon wieder machen, was wir wollen?"

„Für Eltern, die bewährte Traditionen zu schätzen wissen, haben wir unseren autoritären Kinderladen eingerichtet."

I *Schule soll dazu dienen, junge Menschen auf das Leben und das Zusammenleben vorzubereiten. Dabei soll keiner ausgeschlossen werden. Gerade in der Schule könnt ihr lernen, mit anderen Menschen zusammenzusein, zusammenzuarbeiten und die Wünsche und Interessen anderer anzuerkennen.*

Jedes Kind hat einen Anspruch auf Bildung und Erziehung (1978)

Jeder Schüler hat das Recht:

- am Unterricht teilzunehmen,
- über das, was ihn angeht, informiert zu werden,
- seine Noten zu erfahren,
- beraten zu werden,
- seine Meinung frei zu äußern,
- eine Schülerzeitung herauszugeben,
- sich beim Schulleiter zu beschweren,
- vor evtl. Strafen gehört zu werden,
- auf einen Schülerausweis.

Jeder Schüler hat die Pflicht:

- zum Unterricht zu kommen,
- notwendige Anordnungen zu befolgen,
- Störungen zu unterlassen,
- Schulmöbel und andere Einrichtungen ordentlich zu behandeln. **5**

A Vergleicht die Stunden, die ihr in eurer Klasse habt, mit denen, die ihr früher in der Grundschule hattet. Vergleicht auch mit den Stunden, die ihr später haben werdet z.B. in der Abschlußklasse.
Hättet ihr gerne andere Fächer? Warum?
Beispiele:
Umweltschutz, Türkisch, Medizin, Altertumskunde, Informatik/Computerunterricht, Recht, Architektur/Baukunde, Astronomie ...

Was dient dem Zusammenleben in der Schule? Was ließe sich evtl. noch ergänzen und verbessern? (z.B. Gespräche, Spielnachmittag, Besuche ...)?

Wie können Nachteile, die einzelne Schüler haben, ausgeglichen werden? Denkt z.B. an Schüler, die die deutsche Sprache erst spät erlernten, behindert sind oder nicht genügend Hilfe zu Hause bekommen können. Wie wäre es, wenn sich jeweils ein oder zwei Schülerinnen bzw. Schüler dieser Kinder annehmen?

Wie könnt ihr dazu beitragen, daß alle mit allen guten Kontakt haben?

Stundenplan für die höhere Mädchenschule, Klassen 5/6, in Preußen

	Kl.	VI =5	V =6
1	Religion	3	3
2	Deutsch	5	5
3	Französisch	5	5
4	Englisch	–	–
5	Rechnen	3	3
6	Geschichte	–	2
7	Erdkunde	2	2
8	Naturwissenschaften	2	2
9	Zeichnen	–	} 2
10	Schreiben	2	
11	Handarbeit	2	2
12	Singen	2	2
13	Turnen	2	2
	Summe	28	30

6

Stundenplan für die Gymnasialklassen 5/6 in Preußen für Jungen

	VI =5	V =6
Religion	3	2
Deutsch und	3 } 4	2 } 3
Geschichtserzählungen	1	1
Lateinisch	8	8
Griechisch	–	–
Französisch	–	–
Geschichte	–	–
Erdkunde	2	2
Rechnen und Mathematik	4	4
Naturwissenschaften . .	2	2
Schreiben	2	2
Zeichnen	–	2
Zusammen	25	25

7

Stundenplan in der UdSSR (1967/68)

Allgemeinbildende Mittelschule (Einheitspflichtschule und Mittelschule)

Fächer	Klassenstufe 5	6
Russische Sprache	6	3
Literatur	2	2
Mathematik	6	6
Geschichte	2	2
Geographie	2	3
Biologie	2	2
Physik	–	2
Technisches Zeichnen	–	1
Fremdsprachen	4	3
Darstellende Kunst	1	1
Gesang und Musik	1	1
Körpererziehung	2	2
Arbeitsunterricht	2	2
Gesamt	30	30

Stundenplan in der DDR (1970/71)

Zehnklassige allgemeinbildende polytechnische Oberschule (Einheitspflichtschule)

Fächer	Klassenstufe 5	6
Deutsch	7	6
Russisch	6	5
Mathematik	6	6
Physik	–	3
Biologie	3	2
Geographie	2	2
Werkunterricht	2	2
Schulgartenunterricht	(30)	(12)
Geschichte	1	2
Zeichnen	1	1
Musik	1	1
Sport	3	3
Gesamt	32	33

A Wer ist außer euch, dem Schulleiter bzw. der Schulleiterin und den Lehrern noch an der Schule tätig? Was machen sie? Sprecht mit ihnen, fragt nach ihren Aufgaben und Schwierigkeiten.
Über alle Probleme der Schule könnt ihr evtl. etwas „veröffentlichen", damit es auch andere erfahren. Wie wäre es mit einer Wandzeitung, einem Beitrag für die Schülerzeitung, einem Bericht für andere Klassen?

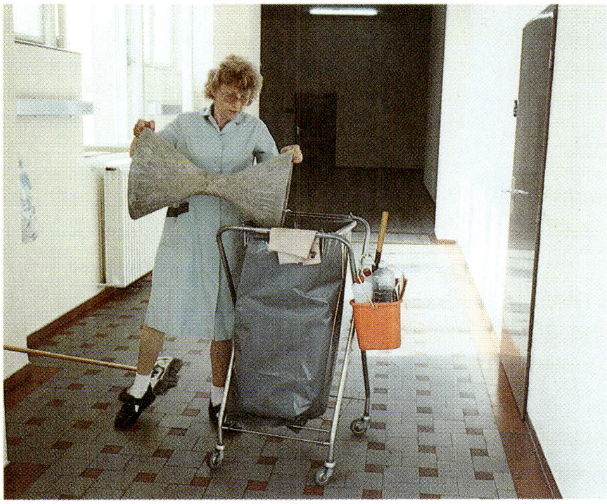

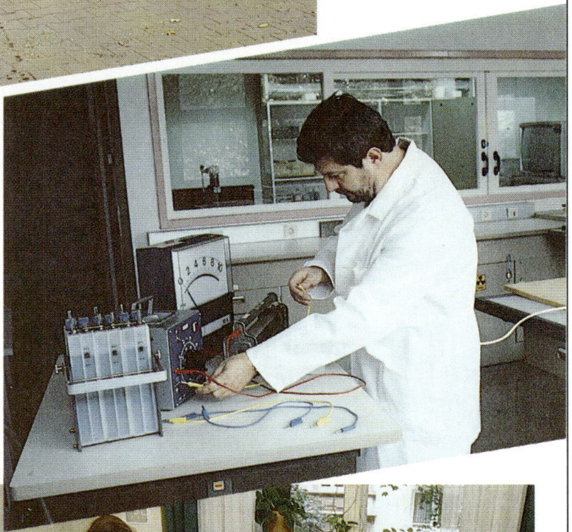

Nach der Arbeit mit diesem Kapitel solltet ihr einmal darüber sprechen, ob sich, nachdem ihr einiges über Schule erfahren habt, für euch etwas geändert und verbessert hat.

Jetzt müßtet ihr sagen können:
○ Worüber entscheiden Schulleitung und Lehrerkonferenz: . . .
○ Worüber können Schüler/innen und Schülervertretung mit entscheiden: . . .
○ Möglichkeiten besserer Zusammenarbeit aller Schüler mit dem Lehrer oder der Lehrerin: . . .
○ Möglichkeiten besserer Zusammenarbeit mit dem Hausmeister, der Sekretärin, den Reinigungskräften: . . .
○ Anregungen für Arbeiten/Kurse/Pausen: . . .
○ Was sollte eine Schulordnung regeln: . . .
○ Was fällt euch beim Vergleich der Stundentafeln auf: . . .
Wie war Schule früher: . . .
Wie ist sie heute: . . .
Wie ist sie bei anderen: . . .
Wie wird sie werden: . . .

4. Ich, wir, andere

Unsere Welt ist klein geworden. In der Bundesrepublik treffen wir viele Ausländer:
- Menschen, die hier arbeiten,
- Touristen,
- Flüchtlinge . . .

Woher kommen sie und warum sind sie hier?

Vielleicht gibt es auch an eurer Schule Schülerinnen und Schüler aus anderen Ländern.

Was habt ihr gedacht, als ihr sie zum ersten Mal gesehen habt? Welchen Eindruck hatten sie von euch?
Gibt es Vorurteile, also Urteile über andere, ohne das nachgedacht oder geprüft wurde?

Menschen aus anderen Ländern sprechen nicht nur oft eine andere Sprache, sie haben auch andere Sitten und Gebräuche. Wie kleiden sie sich, was essen sie, wie verbringen sie ihre Freizeit, welche Feste feiern sie?

Ziele der Arbeit: Ihr solltet Menschen verstehen können, die aus einer anderen Umgebung kommen.

Nach dem 2. Weltkrieg gab es zunächst in Westdeutschland, der späteren Bundesrepublik, viele Arbeitslose, weil zurückgekehrte Kriegsgefangene und aus den früheren deutschen Ostgebieten, der Tschechoslowakei und anderen Ländern hierher vertriebene Menschen Arbeit suchten.

Der Wiederaufbau in den 50er Jahren brachte viele Arbeitsplätze, so daß langsam die Arbeiter knapp wurden, obwohl viele Menschen aus der DDR – häufig besonders qualifizierte Arbeiter – in die Bundesrepublik kamen. So begann die Anwerbung sogenannter Gastarbeiter aus den Mittelmeerländern.

Am 13. 8. 1961 wurden die Grenzen der DDR zur Bundesrepublik abgesperrt. Die Mauer durch Berlin und gesicherte Grenzanlagen wurden gebaut.

So konnten nur noch wenige Deutsche von Ost nach West.

Nach 1961 wurden deshalb mehr ausländische Arbeiter angeworben.

Seit 1973 gibt es einen Anwerbestop. Nur noch Arbeiter aus den Ländern der Europäischen Gemeinschaft dürfen neu hierher kommen. Während vorher ausländische Arbeiter oft nur für einige Zeit kamen, blieben nun die meisten hier und holten ihre Familien nach. Auch deutsche Aussiedler aus anderen Ländern kommen hierher.

1989 wurden die Grenzen zur DDR wieder geöffnet, 1990 wurde Deutschland vereinigt. In unserer Verfassung, dem Grundgesetz, heißt es in Artikel 16 Absatz 2: „Politisch Verfolgte genießen Asylrecht.“

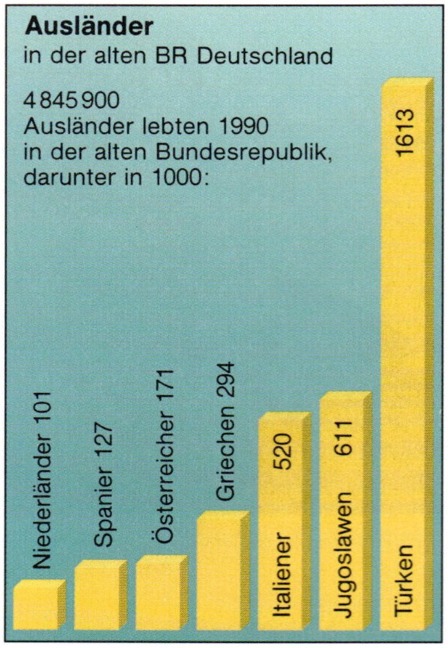

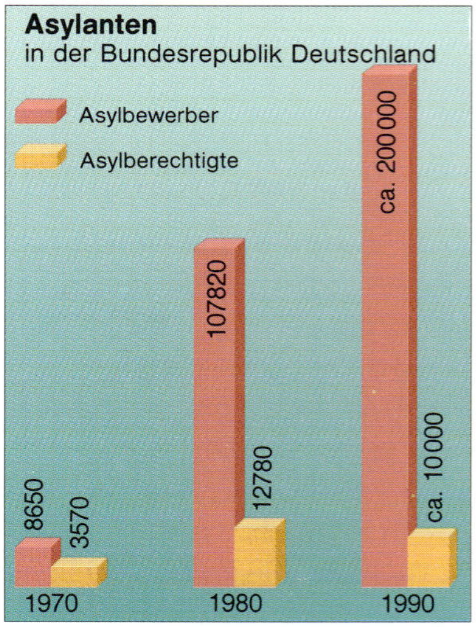

A Wieviele Kinder ausländischer Eltern sind in eurer Schule?
Fragt sie, seit wann ihre Eltern in Deutschland sind, was sie arbeiten, warum sie hierher kamen, ob sie bleiben wollen und warum.

Stellt im Atlas fest, woher ausländische Arbeiter kommen, woher Flüchtlinge. Laßt euch erzählen, wie es dort aussieht. Lest in Erdkundebüchern oder Reiseführern nach. Achtet dabei besonders auf die Arbeits- und Lebenssituation.

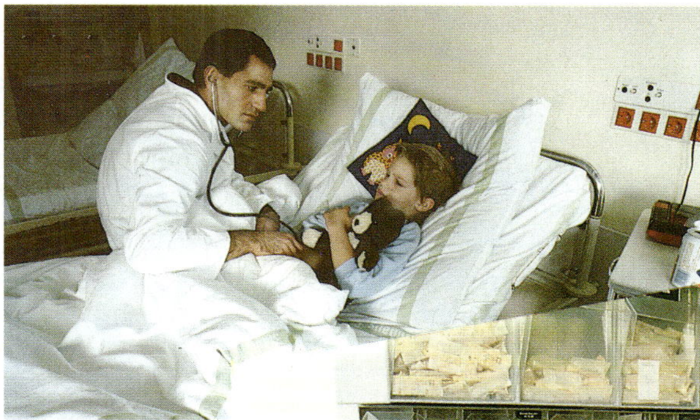

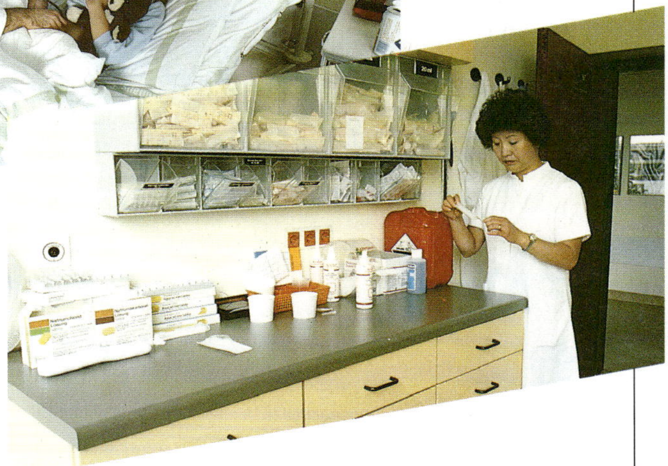

H Im Sekretariat eurer Schule gibt es Zahlen über ausländische Schüler.

A Vorschläge zum Gespräch:
- Gibt es Probleme mit ausländischen Schülerinnen/Schülern?
- Welche Lösungsmöglichkeiten seht ihr?
- Was denken ausländische Schüler über die Bundesrepublik?
- Was denken deutsche Schüler über Ausländer?

A Stellt euch vor, daß an einem Tage alle ausländischen Arbeiter die Bundesrepublik verlassen müßten. Bildet Gruppen und überlegt, was z.B.
- Bauunternehmer,
- Kinder der Arbeiter,
- Gaststättenbesitzer,
- die Arbeiter selbst,
- Leiter von Krankenhäusern,
- Leiter von Reinigungsfirmen für

Probleme hätten, tun müßten ...
Tragt die Ergebnisse zusammen und besprecht sie.

Menschen werden durch die gesamten Lebensverhältnisse geprägt. In ländlichen Gegenden bestimmen z.B. die Jahreszeiten mit Saat und Ernte die Sitten und Gebräuche.
Besonders wichtig ist auch der Glaube, die Religion. Menschen, die z.B. dem Islam angehören, haben andere Feste, dürfen kein Schweinefleisch essen. Frauen haben zwar im Haus Rechte, sonst aber sind sie den Männern untergeordnet.

Menschen haben verschiedene Lebensweisen. Man nennt diese Art, in der Menschen einer Bevölkerungsgruppe zusammenleben, Kultur. Die italienische und spanische Kultur unterscheiden sich nur etwas von der deutschen. Völlig anders leben z.B. Eskimos, die Menschen in den chinesischen Bergen oder im Innern Afrikas.

Jeder Mensch hat durch die Kultur, in der er aufgewachsen ist, in der er lebt, ein Selbstverständnis, eine sogenannte Identität.
Wichtig: Wenn Menschen unterschiedlicher Kultur zusammenleben, müssen sie
- einerseits alle gemeinsam bestimmte Grundregeln anerkennen – z.B. in der Bundesrepublik die deutschen Gesetze, Deutsch als Verkehrssprache,
- andererseits voreinander Achtung haben und anerkennen, daß Menschen unterschiedlich leben wollen.

Wer in seiner Kindheit und Jugend ein bestimmtes Leben „gelernt" hat, kann es nur schwer wieder „verlernen".

In Anatolien

Wie Dorfbewohner berichten, genießen in der Hierarchie (Rangordnung) der Familie jeweils die Männer und die Alten Vorrang. Männer und Frauen verbringen nur im engsten Familienkreis ihre Zeit zusammen. Die Hausarbeit wird soweit als möglich von den Frauen gemeinschaftlich und im Freien verrichtet: das tägliche Brotbacken, meist noch im Tandir, dem gemauerten Feuerloch, die Zubereitung der Mahlzeiten, die Vorratswirtschaft für den Winter (Herstellen von Butter, Tomatenmark, Graupen, Mehl, Käse, Joghurt).
Nicht selbst benötigte Nahrungsmittel und Tiere werden verkauft; Haupteinnahmequellen sind Weizen und Milchprodukte. Öl, Tee und Zucker müssen dagegen gekauft werden. Im Winter bleibt mehr Zeit zum Erzählen, für Handarbeiten und gegenseitige Besuche.
Jeder Gast ist willkommen und wird mit Duftwasser (Kolonya), Tee und Süßigkeiten bewirtet.
Nach dem Ende der Grundschulzeit, spätestens im Alter von 15 Jahren, bedecken Mädchen und Frauen ihre Haare mit dem Kopftuch. Geheiratet wird meist früh und durch Vermittlung der Eltern.
Die Häuser sind aus Tuffsteinquadern gebaut und mehrstöckig: Unten sind Ställe und Wirtschaftshof, oben die Wohnräume.
Von der Moschee des Dorfes ruft der Imam, der Geistliche, durch einen Lautsprecher verstärkt, fünfmal täglich die Gläubigen zum Gebet. Am Freitag, dem traditionellen islamischen Feiertag, und zu besonderen Anlässen wird das Gebet von Männern in der Moschee verrichtet; Frauen beten in der Regel zu Hause. **1**

Leben in einem türkischen Dorf

Die Moschee ist Mittelpunkt einer aus zwölf Weilern bestehenden Moscheegemeinde. Sie verteilen sich über den relativ steil abfallenden Südhang eines sich von Osten nach Westen erstreckenden Berghanges. Die Weiler bestehen aus Fachwerkhäusern mit quadratischem Grundriß; ihr behäbiges Aussehen wird durch ein spitz zulaufendes Ziegeldach unterstrichen. Jedes Dorf wählt einen Dorfvorsteher und einen Ältestenrat, in jedem findet sich eine fünfklassige Grundschule.
Die Bauern beklagen, daß es keine Elektrizität und keine zentrale Wasserversorgung gibt, daß Fabriken und damit Arbeitsplätze in erreichbarer Nähe fehlen und daß die Verkehrsverbindungen schlecht sind. Ein nur für Traktoren und Jeeps befahrbarer Feldweg verbindet die Dörfer mit der geschotterten Hauptstraße.
Im Sommer sieht man jeden Freitag Gruppen von zwanzig bis dreißig Bauern auf Traktoranhängern nach Andiraz fahren, um dort Einkäufe zu tätigen, die Moschee zu besuchen oder Gerichtstermine wahrzunehmen. Im Winter dagegen, wenn der Feldweg oft unpassierbar ist, reitet man auf dem Maultier in das eineinhalb Wegstunden entfernte Bostan, um dort seine Geschäfte zu erledigen. **2**

A Schüler verschiedener Kultur erzählen sich gegenseitig, wie sie leben, feiern, essen ... Vergleicht.

Ihr könnt auch z. B.
- ein internationales Kochbuch schreiben,
- euch gegenseitig zu bestimmten Anlässen einladen,
- bei einem Schulfest z. B. verschiedene Speisen vorstellen.

Mitschüler können euch vielleicht etwas erzählen
- über ihren Glauben,
- über Probleme, die sie hier haben, z. B. in Metzgereien,
- über angenehme Seiten des Lebens hier.

Ein Spiel: Zwei bis vier Italiener oder zwei bis vier Jugoslawen ... spielen zusammen etwas, was sie aus der Heimat ihrer Eltern oder Großeltern kennen. Dabei sprechen sie nur italienisch, jugoslawisch ... Sie fordern deutsche Kinder auf mitzumachen, ohne auf deutsch etwas zu erklären. Anschließend müßt ihr darüber sprechen.

Ein anderes Spiel: Schreibt Kärtchen mit Fragen nach Essen, Wohnen, Arbeiten, Feiern, Familiengröße, Wetter, Umwelt ... Mischt die Karten. Anschließend ziehen ausländische und deutsche Schüler je ein Kärtchen und versuchen, Antworten zu geben. Alle anderen können dabei helfen.
Bedenkt, daß manche ausländischen Schüler in Deutschland geboren wurden und vielleicht nie oder nur selten zu Besuch in das Land kommen, dessen Staatsangehörigkeit sie haben.

Rigatoni alla panna con prosciutto
Hörnchennudeln mit Sahne und Schinken

Zubereitungszeit: 20 Minuten, Pro Portion 3560 Joule (850 Kalorien)
400 g möglichst dicke Hörnchennudeln, Salz. –
¼ l Sahne, einige kleingeschnittene Blättchen Basilikum oder eine Messerspitze Origano, Muskat,
150 g gekochter Schinken, 2 Eßlöffel Butter, 100 g geriebener Parmesankäse
Reichlich Salzwasser zum Kochen bringen. Die Rigatoni hineingeben und in etwa 10 Minuten al dente kochen. Inzwischen die Sahne mit etwas Salz erhitzen und Kräuter und geriebene Muskatnuß hineingeben. Den Schinken in Streifen schneiden. Die Hörnchennudeln auf ein Sieb schütten und abtropfen lassen. Die Butter in einem Topf zerlassen und die Hörnchennudeln darin durchschwenken. Die Sahne hinzugeben. Den Schinken und die Hälfte des Parmesankäses zu den Nudeln geben. Unter vorsichtigem Umrühren bei leichter Hitze etwas durchziehen lassen. Bei Tisch mit dem restlichen Parmesankäse bestreuen.

Evkadini Köftesi Köfte Hausfrauenart
500 g Rinderhack, 1 TL Koriander, 200 g gekochter Reis, 1 TL Piment, 2 Zwiebeln, feingewürfelt, 1 TL Thymian, 1 Bund Dill, 4 Eier, 1½ TL Salz, ⅛ l Olivenöl, 1 TL Pfeffer, 2 EL Mehl
Rinderhack, Zwiebeln, Salz, Pfeffer, Koriander, Piment, Thymian, Dill, gekochten Reis und 1 Ei miteinander verkneten und mit angefeuchteten Händen kleine Bällchen formen und flachdrücken, so daß sie ungefähr 5 cm Durchmesser haben. Die Hackfleischfladen in Mehl wenden und in verquirltes Ei tauchen. In einer Pfanne das Olivenöl erhitzen und die Köfte von beiden Seiten goldbraun braten.

I Das Vorurteil ist ein gefühlsmäßiges, wertendes Urteil über eine Menschengruppe. Haben Menschen ein Vorurteil, behalten sie es oft bei, auch wenn ihre Erfahrungen dagegen sprechen.

Kinder übernehmen oft Vorurteile von Erwachsenen. Bei neuen Vorurteilen spielen Ärger und Angst eine Rolle. Einmal vorhandene Vorurteile sind schwer zu beseitigen.

Viele Männer halten z.B. Frauen für schlechte Autofahrer, obwohl Frauen weder mehr Unfälle verursachen noch im Straßenverkehr anders reagieren als Männer.

Viele Deutsche halten sich für besonders fleißig, zuverlässig und klug. Auch Erlebnisse, die das Gegenteil zeigen, und Vergleiche bringen sie nicht von ihrer Meinung ab.

„Gastarbeiter sind doof; die können nicht mal richtig „Kartoffel" schreiben."

A Gibt es besonders saubere, besonders fleißige Völker? Auf welche Menschen kann man sich nicht verlassen? Sammelt Aussagen und Sprüche, die Vorurteile enthalten. Vergleicht sie.
Ihr könnt auch bestimmte Gruppen von Vorurteilen zusammenstellen, z.B.
Mädchen sind . . .
Jungen sind . . .
Bauern sind . . .
Bittet auch ausländische Mitschüler um Beispiele für Vorurteile aus ihrer Kultur.

„Nein! Sind die deutschen Frauen komisch!
Nein! Sind die türkischen Frauen komisch!"

Vorurteile

„Die Russen sind sehr unkultiviert und grausam. Das sind Kriegserfahrungen meines Vaters."
„Ich nehme keine Perser als Untermieter in mein Haus. Die sehen alle so schick aus, aber dahinter steckt doch nichts. Die haben bloß dumme Gedanken mit den deutschen Mädchen im Sinn."
„Der kommt mir nicht ins Haus mit so einer Mähne, so'n richtiger Halbstarker, vielleicht auch noch ein Bart?! Ne! Also das sind doch alles nur Nichtstuer, Schlawiner, immer bloß Unruhe stiften!"
„Du sollst keinen Deutschen heiraten. Die verstehen nicht so zu feiern wie wir Italiener!"
„Ich will keine schlitzäugigen Enkelkinder!"
Die Mutter zum Sohn: „Nimm' keine Rothaarige! Sie sind falsch!"
„Ich nehme keine Motorradfahrer in mein Haus. Sie hinterlassen alles wie die Vandalen!"
Der Fabrikbesitzer: „Frauen stelle ich als Hilfsarbeiterinnen ein. In die Betriebsleitung gehören Männer. Die sind intelligenter!"
Der Vereinsvorstand: „Das ist ein deutscher Verein. Ausländer haben hier nichts zu suchen!"
„Die Japaner haben uns erst alles nachgemacht. Nun wollen sie uns fertigmachen!"
„Was kann schon von jemand kommen, der aus dieser Familie stammt!"

A Gibt es Vorurteile, die man haben sollte?
Gibt es ein oder mehrere Vorurteile, bei denen ihr euch einig seid, daß man sie besser nicht haben sollte?

Ein Versuch: Gruppen suchen sich ein verbreitetes Vorurteil aus, z.B. daß Jungen unordentlich sind. Die anderen Gruppen dürfen nicht erfahren, um welches Vorurteil es sich handelt. Für einen der nächsten Tage arrangiert dann die Gruppe eine Situation, die dem Vorurteil entspricht. Z.B. könnte ein Junge eine unordentliche Mappe „aus Versehen" auskippen, so daß alles kreuz und quer liegt. In dem Moment muß die übrige Gruppe aufpassen, ob das Vorurteil fällt. Anschließend müßt ihr über den „Vorfall" sprechen.

Eigenschaften, die Völkern zugeschrieben werden

Eigenschaften	Deutsche	Amerikaner	Russen	Franzosen
1. sehr arbeitsam				
2. intelligent				
3. praktisch				
4. eitel				
5. großzügig				
6. grausam				
7. rückständig				
8. tapfer				
9. selbstbeherrscht				
10. herrschsüchtig				
11. fortschrittlich				
12. friedlich				

Kreuze jeweils die Eigenschaften an, die Dir typisch für die betreffende Nation zu sein scheinen. **3**

Vorurteile gegenüber Ausländern

Ende 1981 trugen Infas (Meinungsforschungs-Institut)-Interviewer einer repräsentativen (der Bevölkerung entsprechenden) Auswahl von 1600 Personen Ansichten vor, „die man so hören kann", und baten die Befragten dann um ihre persönliche Zustimmung oder Ablehnung. Die Antworten ergaben nachstehende Ansichten/Vorurteile:

	„stimme zu"	„stimme nicht zu"
„Es sind vor allem die Ausländer, die deutsche Frauen belästigen."	34%	59%
„Die hohe Kriminalität bei uns ist vor allem darauf zurückzuführen, daß es so viele Ausländer gibt."	42%	52%

4

I *In Witzen über Menschen werden Schwächen, Probleme oder Besonderheiten der Menschen in einen unerwarteten Zusammenhang gebracht. Ziel: Es soll gelacht werden.*
In den Schottenwitzen wird deren Sparsamkeit oder Geiz aufs Korn genommen. Das ist oft unfreundlich und beruht auf einem Vorurteil.
Problematischer sind die Ostfriesenwitze, in denen diese Menschen als dumm und zurückgeblieben beschrieben werden.

Ein Schotte hat 10.000 englische Pfund in der Lotterie gewonnen. Als er den Gewinn abholt, macht er ein so unglückliches Gesicht, daß ihn der Lotterieeinnehmer fragt, ob er sich denn nicht freue. Darauf der Schotte: „Ja, schon, aber wozu habe ich das zweite Los kaufen müssen . . .?“

Frage: Woran merken Ostfriesen, daß Ebbe herrscht? Antwort: Daran, daß es staubt, wenn sie rudern.

H Es gibt bei uns Witze über Menschen anderer als deutscher Kultur, die diese Menschen herabsetzen. Gegen solche Witze sollte sich jeder wehren, indem er sein Mißfallen darüber deutlich macht.

A In den letzten Sätzen der Hilfen nimmt der Autor des Buches Partei. Er bringt kein Beispiel.
Habt ihr Verständnis dafür?

Viele deutsche Schüler und Schülerinnen waren schon einmal im Ausland.
- Was gefiel euch, was nicht?
- Wo gab es Probleme?
- Wie behandelten euch die einheimischen Menschen?

Vergleicht das mit den Gefühlen und Erlebnissen der ausländischen Schülerinnen und Schüler in der Bundesrepublik.
Bedenkt: Ausländische Arbeiter und ihre Familien sind keine Touristen.

A Beobachtet:

- ○ Gibt es Treffpunkte für Männer, Frauen, Jugendliche, alte Menschen, Ausländer in Gaststätten, Parkanlagen, am Bahnhof, in der Hauptstraße ...?
- ○ Was machen die Menschen dort?
- ○ Warum treffen sie sich?
- ○ Haben sie Vorbehalte gegen andere Menschen?

- ○ Unterscheiden sich die Wohngebiete in eurem Ort?
- ○ Wer wohnt in dem einen Gebiet, wer in dem anderen?
- ○ Warum können Menschen manchmal nicht wohnen, wo sie wollen?
- ○ Haben Menschen in einem Ortsteil Vorbehalte gegen Menschen, die woanders wohnen?

A Stellt fest, ob Frauen oder Männer, Mädchen oder Jungen bevorzugt oder benachteiligt werden.
Dazu könnt ihr z.B.

- ○ in euren Schulbüchern – auch in diesem – nachprüfen, ob den Geschlechtern bestimmte Rollen zugeschrieben werden,
- ○ feststellen, wofür Männer, wofür Frauen in Stellenanzeigen gesucht werden.

H Führt nach der Arbeit an diesem Kapitel ein Gespräch:

- ○ Hat sich im Verhältnis der Schülerinnen und Schüler zueinander etwas geändert?
- ○ Gibt es Möglichkeiten, besser miteinander zu leben und zu arbeiten?
- ○ Hat sich jeder bei der Arbeit wohlgefühlt?
- ○ Gab es Ängste?

I *Menschen wollen einerseits mit Menschen ihrer Kultur zusammensein, um Gemeinsamkeiten zu erleben und zu pflegen, ihren besonderen Interessen nachzugehen.*
Anderseits leben bei uns Menschen aus verschiedenen Kulturen zusammen und müssen miteinander reden, arbeiten und auskommen.

So kommt es darauf an, daß

- ○ *in Schule, Betrieben und Parteien Menschen aller Kulturen zusammenwirken,*
- ○ *alle Wohngebiete für alle offenstehen,*
- ○ *Gleichgesinnte zusammenkommen können, z.B. um ihre Kultur zu pflegen,*
- ○ *Bereitschaft besteht, andere anzuerkennen ...*

Versucht zu den folgenden Fragen etwas zu sagen:
Weshalb wurden ausländische Arbeiter in die Bundesrepublik geholt?
Welche Sitten und Gebräuche herrschen in anderen Ländern?
Gegen welche Vorurteile solltet ihr euch wehren?
Was könntet ihr tun, um andere Menschen zu verstehen?

5. Wo kommt her, was wir brauchen?

Früher waren die meisten Menschen Bauern. Sie erzeugten ihre Nahrungsmittel selbst. Müller, Bäcker und Metzger verarbeiteten die Rohprodukte. Andere Handwerker wie Schneider, Maurer, Tischler und Schmied versorgten die Menschen mit Wohnung, Kleidung, Möbeln und Geräten.

Woher kommt heute, was wir brauchen?

Heute hattet ihr vielleicht Wurst, Käse, Marmelade, Brot . . . zum Frühstück. Woraus sind diese Produkte hergestellt worden? Wer hat dafür gearbeitet, bis sie bei euch waren?

Woher kommt der elektrische Strom, woher das Wasser in der Wasserleitung?

Auch bei euch zu Hause wird Heizöl, Strom, werden Briketts . . . verbraucht. Energie ist knapp und teuer. Wie und wobei könnt ihr Energie sparen?

Ziele der Arbeit: Ihr solltet

- von einigen Waren wissen, wo sie herkommen,
- etwas über Arbeit erfahren und
- die Bedeutung der Energie kennenlernen.

A Nehmt Dinge des täglichen Gebrauchs wie Radio, Uhr, Milch, Brot, Fische, Jeans . . . und versucht festzustellen, wo sie herkommen.

H Durch Etiketten oder Schildchen an den Auslagen im Geschäft erfahrt ihr manchmal etwas über die Herkunft.
Auch die Bilder auf dieser Doppelseite können weiterhelfen.

KUNST- STOFF
BLEI- FREI
7

A Untersucht Waren:
- Was ist der ursprüngliche Rohstoff?
- Wo kommt er her? Wer hat ihn gewonnen? – Oft werden mehrere Rohstoffe für ein Produkt verwendet.
- Wo fand die Verarbeitung statt?
- Was geschah dabei?
- Wer war daran beteiligt?
- Wie kam das Produkt zu uns? Wer hat es transportiert? Wer hat organisiert und wer hat gekauft und verkauft?

Ordnet zu:
- Urproduktion,
- Verarbeitung,
- Dienstleistungen

Erklärungen zu den Begriffen findet ihr auf dieser Doppelseite.

Ihr kennt viele Menschen, die arbeiten. Wo sind sie tätig: In
- Urproduktion,
- Verarbeitung oder
- Dienstleistungen?
- Wer hat gearbeitet, wer verdient?

I *Wir unterscheiden:*

Urproduktion = Gewinnung von Rohstoffen aus der Natur. Bauern, Fischer, Bergleute betreiben sie. Bauernhöfe sind in der Regel Familienbetriebe. Es gibt selbständige Fischer und große Fischereibetriebe. Bergbau findet meist in Großbetrieben statt.

H Am besten geht ihr in Arbeitsteilung vor und untersucht nur jeweils wenige Produkte, von denen ihr annehmt, daß es auf einfache Weise möglich ist, ihren Werdegang zu verfolgen.

Verarbeitung = Herstellung von Gegenständen aller Art in Handwerk und Industrie. Aus Rohstoffen werden Waren.

Handel, Verkehr, Verwaltung – in der Fachsprache Dienstleistungen: Kauf und Verkauf, Beförderung von Menschen und Gütern, Unterrichten und Heilen, Haarschneiden und Bewirten, Organisieren und Verwalten gehören dazu. Private Unternehmer organisieren Reisen und betreiben Gaststätten. Viele Ärzte haben eine eigene Praxis. Es gibt aber auch Ärzte in Krankenhäusern, die von Städten und Kreisen, aber auch vom Roten Kreuz, der Caritas und der Inneren Mission betrieben werden. Von der Bundesrepublik werden Post und Bahn betrieben, die Länder sind für Schulen und Universitäten verantwortlich.

A Überlegt:
- ○ Was spricht für den Kauf von Waren, die in der Bundesrepublik hergestellt wurden?
- ○ Warum kaufen viele Menschen Waren aus anderen Ländern?

I In der Bundesrepublik sind die Löhne und Gehälter im Verhältnis zu anderen Ländern sehr hoch. Außerdem müssen für Krankenversicherung, Arbeitslosenversicherung und andere Sozialversicherung und andere Sozialleistungen hohe Beiträge gezahlt werden. Diese Beiträge werden zumeist zur Hälfte von den Arbeitern und Angestellten, zur Hälfte von den Arbeitgebern (Betriebe wie Handwerksbetriebe, Fabriken, Geschäfte usw.) gezahlt. Außerdem muß auch im Urlaub Lohn/Gehalt gezahlt werden.
In den meisten anderen Ländern sind Löhne und Gehälter niedriger, müssen keine oder niedrigere Beiträge für Versicherungen gezahlt werden, gibt es weniger bezahlten Urlaub. Deshalb sind Urproduktion, Verarbeitung und Dienstleistungen dort billiger. Wir führen viele Waren von dort ein. Das macht die Produkte aus solchen Ländern für uns billig. Andererseits brauchen viele ausländische Firmen deutsche Maschinen, Meßgeräte . . . Deutsche Waren enthalten fast immer Bestandteile aus dem Ausland.
Ab 1993 haben die Staaten, die sich zur EG (Europäischen Gemeinschaft) zusammengeschlossen haben, einen völlig freien Handel untereinander.

H Vielleicht erzählen euch eure Eltern auch etwas über die
- ○ „Abzüge" (Steuern, Versicherung . . .) von ihrem Lohn,
- ○ ihre Meinung dazu.

Ihr könnt dann diese Informationen und Meinungen in eure Diskussion einbeziehen.
Bedenkt dabei: Alte und kranke Menschen müssen auch leben können, es gibt Arbeitslosigkeit und Unfälle, jeder möchte Urlaub haben . . . Alles das muß bezahlt werden.

A Diskutiert:

- Gibt es „deutsche“ Waren?
- Gibt es „ausländische“ Waren?
- Wer „verdient“ beim Verkauf?
- Welche Überlegungen lassen sich beim Kauf von Waren anstellen?

Was meinen die ausländischen Mitschüler/innen?

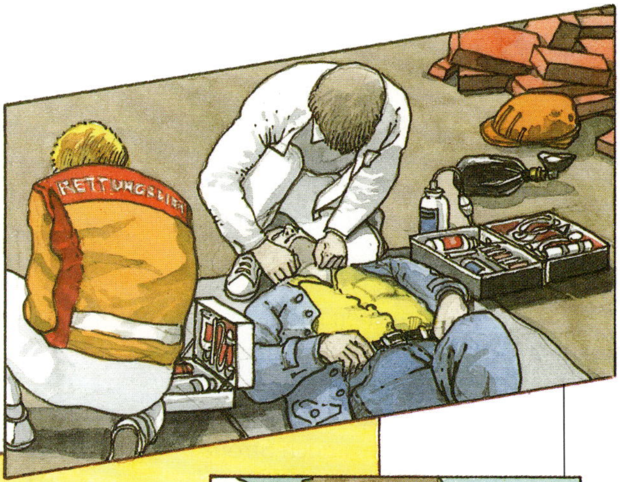

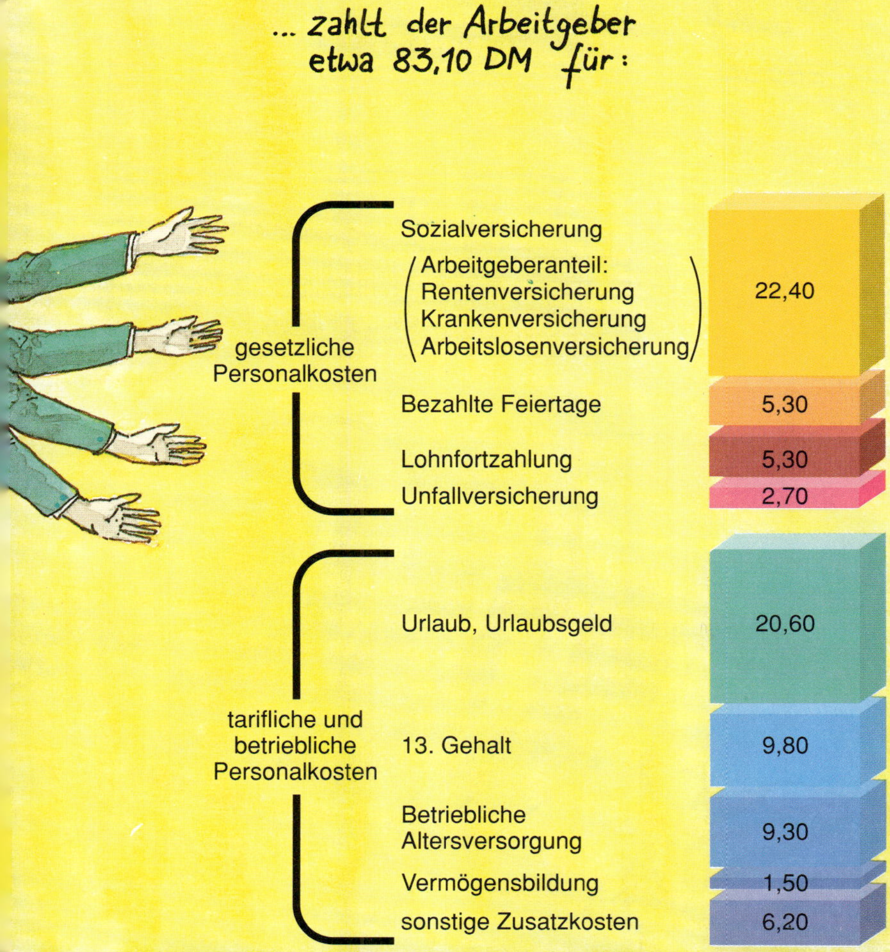

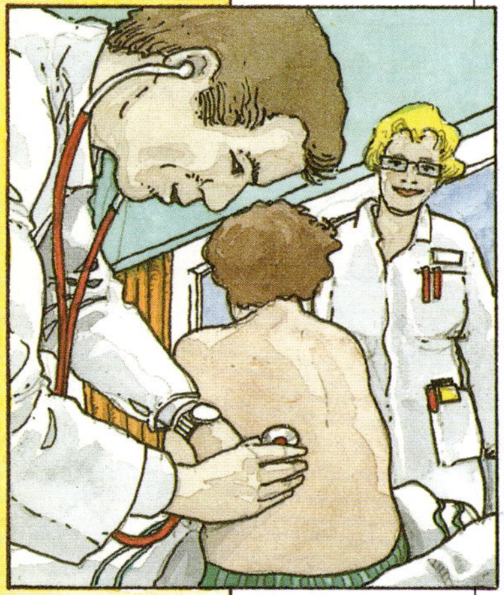

H Auf den nächsten beiden Doppelseiten geht es um Energie und Wasser. Auch hier solltet ihr – nachdem ihr darüber gesprochen habt – euch entscheiden, was ihr tun wollt und könnt.

A Wir brauchen nicht nur Nahrung, Kleidung und Wohnung, sondern z.B. auch elektrischen Strom und Wasser.
Wo kommen bei euch Strom und Wasser her bzw. wo ist das nächste Kraftwerk, das nächste Wasserwerk?
Versucht Näheres darüber zu erfahren.

Vielleicht könnt ihr beim Wandertag eine Erkundung in einem der Werke oder in dessen Umgebung vornehmen.

H Es ist schwierig, die Erlaubnis zu bekommen, ein Kraftwerk zu besichtigen. In der Umgebung kann man aber auch einiges sehen und erfahren. Vielleicht klagen die Leute, die rings um ein Kohlekraftwerk wohnen, über den Schmutz.
Menschen, die in der Nähe eines Kernkraftwerkes leben, äußern manchmal Zustimmung, manchmal Ablehnung.

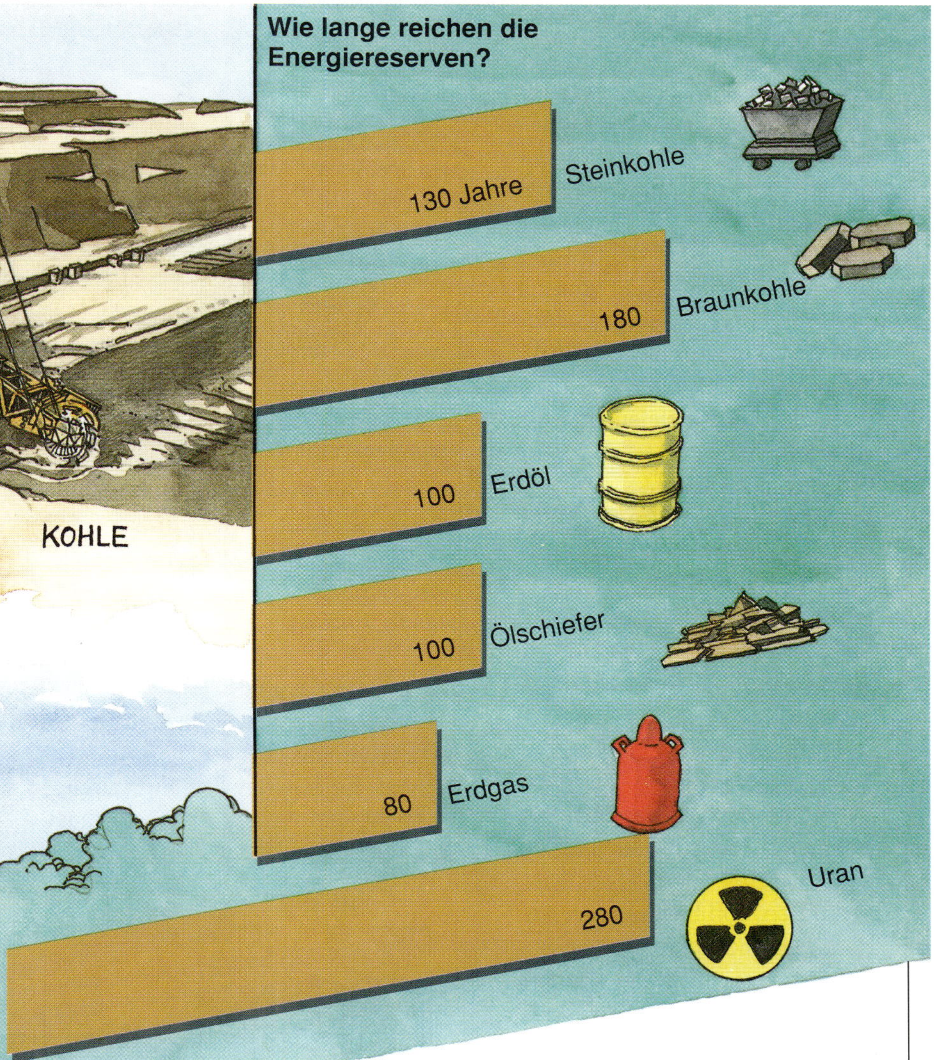

I *In der Bundesrepublik wird Kohle abgebaut. Deshalb ist einerseits die Stromerzeugung in Kohlekraftwerken sinnvoll. Andererseits haben die Abgase, die dabei entstehen, zum Waldsterben beigetragen und gefährden die Umwelt. Es ist – noch immer – nicht möglich, die Abgase völlig zu reinigen.*
Atomkraftwerke belasten normalerweise die Umwelt nicht. Bei schweren Störfällen geht aber eine vorher kaum gekannte Gefahr von ihnen aus. Außerdem gibt es noch keine Möglichkeit in der Bundesrepublik, die atomaren Abfälle sicher unterzubringen. Es gibt Streit darüber, ob die Gefahr, die von Atomkraftwerken ausgeht, so groß ist, daß keine Atomenergie mehr verwendet werden soll.

Bei uns spürt man noch immer die Folgen eines Unfalls im sowjetischen Atomkraftwerk Tschernobyl, der im Frühjahr 1986 geschah.

A Schaut euch die Materialien auf dieser Doppelseite an und diskutiert, wie man besser mit der knappen und teuren Energie umgehen könnte.
Eine Möglichkeit ist die Einsparung von Energie. Dazu könnt ihr z.B. eine Energiesparfibel schreiben und evtl. verteilen. Achtet dabei darauf, wofür Energie verwendet wird: Für Beleuchtung wird z.B. viel weniger als für Heizung verbraucht.
Weitere Hinweise: An Glühlampen und elektrischen Geräten findet Ihr Angaben über den Verbrauch.

Anregungen zur Bearbeitung der Statistiken:
- Wofür wird besonders viel Energie verwendet? Wo sollte deshalb das Sparen beginnen? (Schaubilder S. 62)
- Bei welcher Energie sind wir besonders von Lieferungen aus dem Ausland abhängig? Was könnte dagegen getan werden? (Schaubilder S. 63)
- Wie hat sich der Verbrauch von Kohle, Erdöl ... entwickelt? Welche Ursachen vermutet ihr? (Schaubild S. 63 rechts)
- Energie muß überall gespart werden. Wo sollten wir aber beginnen? Warum?

I *In der ehemaligen DDR wurde zur Energiegewinnung besonders auch Braunkohle verwendet, wobei schädliche Abgase entstanden. Nun wird in den neuen Bundesländern auf umweltschonende Energiegewinnung und umweltschonenden Energieverbrauch umgestellt.*

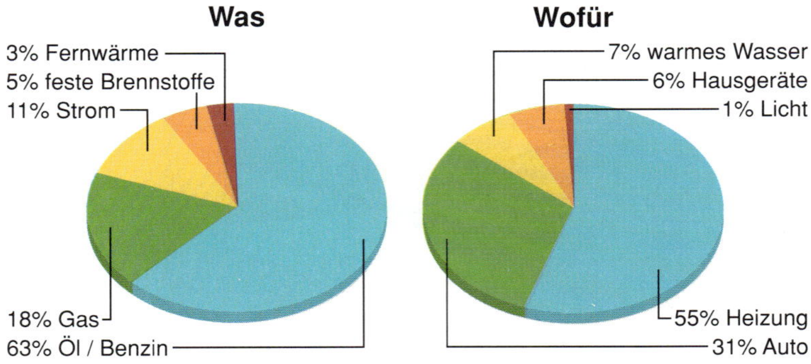

Energieverbrauch der Haushalte
Im Haushalt wird zumeist umgewandelte oder verarbeitete Energie verwendet. Nicht Erdöl, Wasserkraft, Kernenergie hat der Verbraucher zur Verfügung, sondern Benzin, Heizöl, Strom, Fernwärme oder Briketts.
Was fällt auf?

Der private Haushalt wird (hier) vom Staat und den Gemeinden einerseits und den Unternehmen der Industrie und des Gewerbe andererseits unterschieden.
Von den Haushalten werden Benzin, Heizöl, Strom, Gas ... in der Wohnung und für das Auto verwendet.
Was fällt auf? Wo muß das Sparen beginnen?

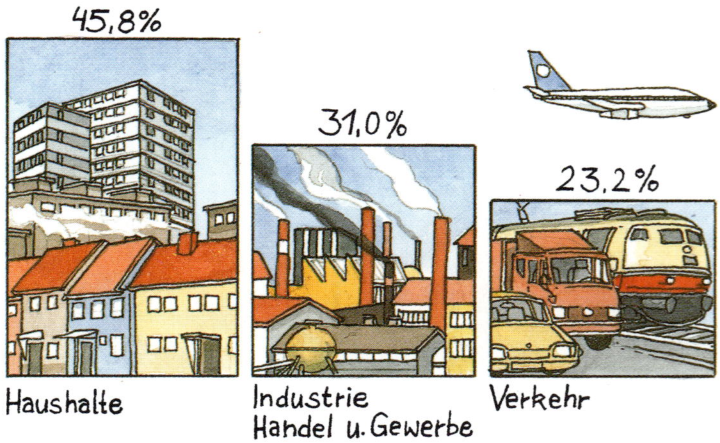

Verbraucher von Energie
In diesem Bild ist der Energieverbrauch
- der privaten Haushalte im Haus – also ohne Auto –,
- von Industrie, Handel und Gewerbe, das heißt bei der Herstellung und dem Verkauf von Gütern und
- für Verkehr, also für Autos, Flugzeuge, Bahnen und Schiffe

dargestellt.
Was fällt auf? Welche Folgerungen sind möglich?

Eigene Energieträger – eingeführte Energieträger

Energieträger sind die urpsprünglich vorgefundenen Energien, sie werden auch Primärenergien genannt, die dann z.B. in elektrischen Strom umgewandelt, zu Benzin verarbeitet und für Heizung und Beleuchtung, zum Betrieb von Maschinen, Bahnen und Autos verwendet werden.

Das Bild zeigt, welcher Anteil in die Bundesrepublik eingeführt werden muß. Bei uns gibt es Kohle, Wasserkraft und auch Naturgas, aber kaum Erdöl und kein Uran, den Rohstoff der Kernenergie.

Was zieht ihr für Schlüsse?

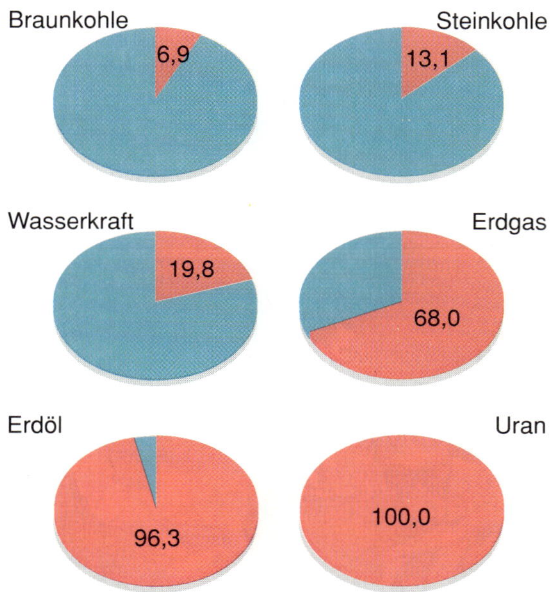

rot = Einfuhr
blau = eigene Energie

Anteile der Energieträger

Im Bild ist abzulesen, wie sich der Anteil verändert hat, den Kohle, Wasserkraft, Öl, Erdgas und Kernenergie von 1950 bis heute an der Energieversorgung in der Bundesrepublik hatten. Zunächst wurde fast nur Kohle verwendet, ob zur Heizung, bei der Stromerzeugung oder für den Betrieb von Lokomotiven. Heute spielt die – vor allem heimische – Kohle nur noch eine geringe Rolle. Was ist der Darstellung noch zu entnehmen?

Die Mengensteigerung ist in diesem Bild nicht dargestellt, nur die Anteile.

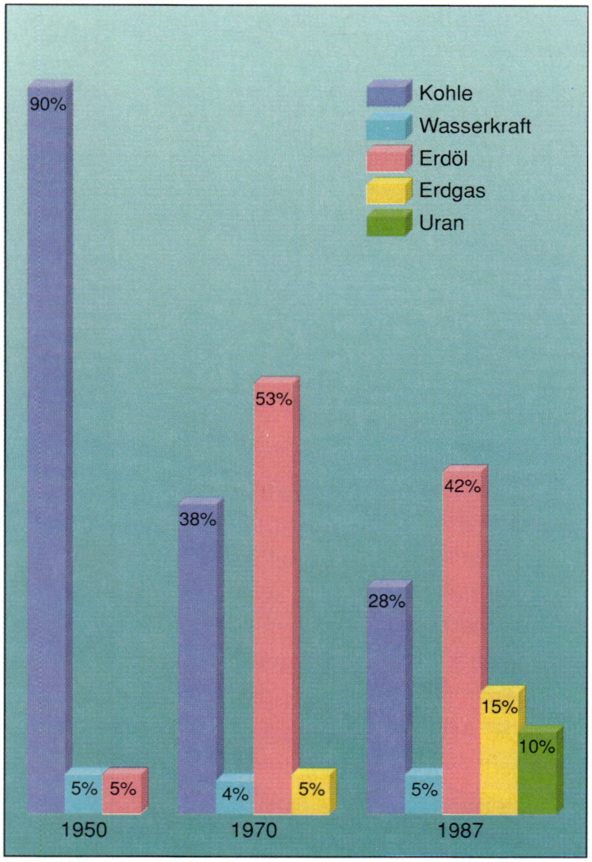

Was ihr gelernt oder erfahren habt, könnt ihr z.B. so überprüfen: Eine Schülerin oder ein Schüler nennt Berufe. Alle anderen schreiben auf, ob es sich dabei um eine Tätigkeit in der Urproduktion, Verarbeitung oder im Dienstleistungsbereich handelt. Eine Schülerin oder ein Schüler nennt ein Produkt. Andere Schüler nennen oder schreiben die Stufen auf, die zwischen Rohstoff und Verbraucher liegen.

Fragt ausländische Arbeiter nach Einkommen, Hilfen bei Krankheit, Alter, Unfall in ihrem Heimatland.

Stellt nebeneinander:

Kohlekraft: Vorteile, Nachteile

Atomkraft: Vorteile, Nachteile

Wo und wie läßt sich Energie einsparen?

6. Meine Familie, deine Familie, keine Familie

Die meisten Kinder wachsen in einer Familie auf, viele nur mit Mutter oder Vater, wenige in Heimen, einige in Wohngemeinschaften.

Vieles von dem, was ihr könnt, wie ihr euch verhaltet, wie ihr miteinander und mit den Eltern umgeht, habt ihr dort gelernt. Könnt ihr erkunden, was?

Haben die Mädchen etwas anderes gelernt als die Jungen?

Wer bestimmt, wie es in einer Familie zugehen soll?

Was steht dazu in der Verfassung?

Jede Familie ist eine besondere Familie.
Wodurch unterscheiden sie sich?
Wo kommen die Unterschiede her?

Ziele der Arbeit: Ihr solltet wissen,
wo Kinder leben,
den Einfluß der Familie bei der Erziehung beschreiben und etwas über die Rollen von Frauen, Männern und Kindern sagen können.

I Tiere haben Instinkte, d.h. ein festgelegtes Verhalten für die in der natürlichen Umwelt vorkommenden Situationen. Sie können auch Verhaltensweisen lernen, die in ihre Umwelt passen. Die Jungen werden in der Regel sehr schnell selbständig. Anders der Mensch. Er ist lange hilfsbedürftig. Er lernt viele Jahre: Sprechen, Umgang mit anderen Menschen, aber auch den Gebrauch von Werkzeugen und Geräten, die sich nur der Mensch herstellt. Kinder lernen das, was ihnen in ihrer Welt vermittelt wird. So lernen sie in ihrer Familie, in ihrer Schule, in ihrem Land.

A Versucht einmal zusammenzustellen, was Kinder in ihren ersten Lebensjahren lernen. Wenn ihr kleine Geschwister habt, könnt ihr sie beobachten. Ihr könnt aber auch eure Eltern fragen oder andere Erwachsene.

Vielleicht ist auch eine Beobachtung in einem Kindergarten möglich. Anregungen dazu findet ihr im Material.

Vor allem könnt ihr euch auch selbst fragen, was ihr alles „könnt" und wo ihr es gelernt habt. Stichworte dazu: Sprache, Sauberkeit, Umgang mit anderen, Essen, Anziehen . . .

Kinder werden manchmal als „unerzogen" bezeichnet. Was haben sie nicht gelernt? Haben sie etwas anderes gelernt? Wo?

Ihr könnt auch Geschichten zu Hilfe nehmen, in denen über Kinder geschrieben wird, die in völlig anderer Umgebung aufwuchsen, ohne menschliche Kontakte lebten, anderes als ihr lernen mußten.

Im nebenstehenden Bild lernen Kinder auf verschiedene Weise.

Beobachtungsbogen für einen Kindergarten
(Ankreuzen, was die Kinder tun/können.)

	Kind . . ., . . . Jahre		Kind . . ., . . . Jahre	
	ja	nein	ja	nein
Spielen				
Verstehen der Regeln	☐	☐	☐	☐
Ändern der Regeln	☐	☐	☐	☐
Nachahmung	☐	☐	☐	☐
. . .				
Sprechen				
Fragen in Sätzen	☐	☐	☐	☐
Antworten in Sätzen	☐	☐	☐	☐
Erzählen in Sätzen	☐	☐	☐	☐
. . .				
Verhalten				
Schleife binden	☐	☐	☐	☐
Jacke knöpfen	☐	☐	☐	☐
. . .				
Aufgaben				
Turm bauen	☐	☐	☐	☐
Figuren legen	☐	☐	☐	☐
. . .				

A Die Bilder zeigen sehr unterschiedliche Familien. Versucht Geschichten dazu zu schreiben: Wie leben die Familien, wie geht es den Kindern. . .
Stellt die Geschichten zusammen und vergleicht sie. Ihr könnt die Geschichten auch spielen.
Sicherlich können euch eure ausländischen Mitschüler bei diesen Aufgaben besonders gut helfen.

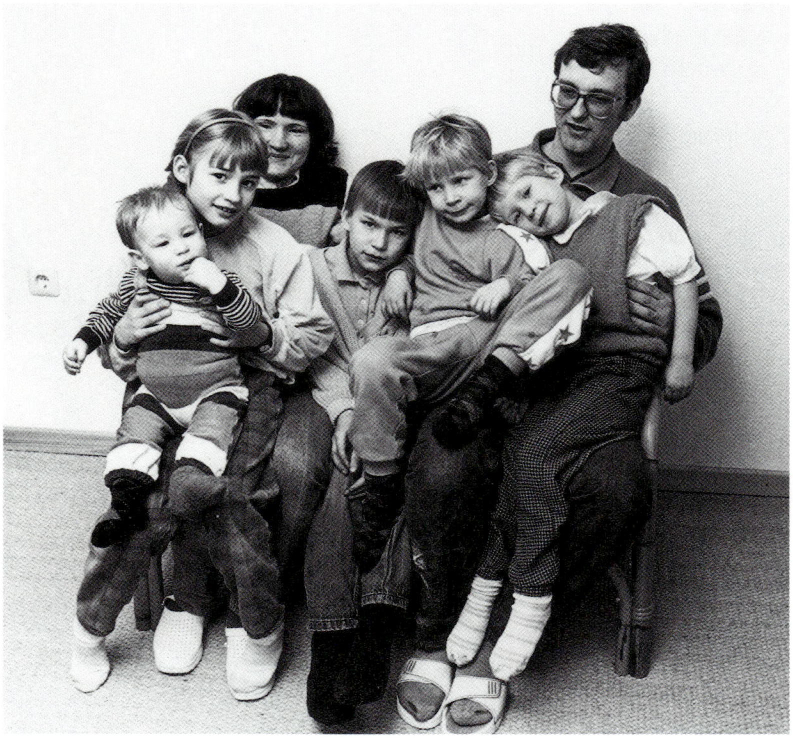

A Was fällt an den auf dieser Seite vorgestellten Familien auf? Vergleicht sie mit den anderen.

- ○ Fehlen „typische" Familien? Welche?
- ○ Wo wachsen Kinder noch auf? Denkt an Kinder aus anderen Ländern, an Kinder, deren Eltern gestorben sind oder deren Eltern keine Zeit für sie haben.
- ○ Ihr könnt die Bilder „ergänzen", wenn ihr in eurer Umgebung völlig andere Familien beobachtet.

H Was spricht dafür, was spricht dagegen, eure eigenen Familien zu erkunden? Der Autor hält es für richtig, den persönlichen Bereich jeder Familie zu achten und nicht – auch nur versuchsweise – zu erkunden, wie es in dieser oder jener Familie von Mitschülerinnen und Mitschülern aussieht. Man kann Familien an Beispielen kennenlernen, die zur Verfügung stehen.

Ehe und Familie stehen unter dem besonderen Schutze der staatlichen Ordnung.
Pflege und Erziehung der Kinder sind das natürliche Recht der Eltern und die zuvörderst ihnen obliegende Pflicht. Über ihre Betätigung wacht die staatliche Gemeinschaft.
Gegen den Willen der Erziehungsberechtigten dürfen Kinder nur auf Grund eines Gesetzes von der Familie getrennt werden, wenn die Erziehungsberechtigten versagen oder wenn die Kinder aus anderen Gründen zu verwahrlosen drohen.
Jede Mutter hat Anspruch auf den Schutz und die Fürsorge der Gemeinschaft.
Den unehelichen Kindern sind durch die Gesetzgebung die gleichen Bedingungen für ihre leibliche und seelische Entwicklung und ihre Stellung in der Gesellschaft zu schaffen wie den ehelichen Kindern.
(Art. 6 GG)

A Es gibt viele „Familien“, die ihr erkunden könnt, in:

- Fernsehserien,
- Filmen,
- Comics,
- Büchern und Geschichten und
- Zeitungsberichten.

Am besten nehmt ihr euch in Partnergruppen oder Gruppen je eine dieser Familien vor und fragt:

- Welche Rolle hat der Vater? Welche Rolle die Mutter?
- Was darf/muß der Mann, was die Frau?
- Wo liegen die Probleme?
- Wie wird die Mutter dargestellt? Wie der Vater?
- Welche Aufgaben hat die Frau? Welche der Mann?
- Welche Rolle spielen die Kinder?
- Spielen Mädchen und Jungen die gleiche Rolle?
- Was lernen sie?
- Wie fühlen sich die Familienmitglieder?

Danach läßt sich vielleicht zusammenstellen:

- Väter haben oft . . .
- Mütter müssen meistens . . .
- Kinder haben . . .
- Frauen sind . . .
- Männer sind . . .

Sprecht auch über die Frauen und Männer auf den Bildern. Findet ihr allein erziehende Eltern? Kinder in Heimen, in Wohngruppen?

Was meint ihr:
Was ist für Kinder besser, was schlechter?
Wie wünscht ihr euch das Zusammenleben in der Familie?

I *Wie Menschen sich verhalten, wie sie andere beurteilen, hängt u. a. davon ab, welches „Bild“ von der „Rolle“ vorhanden ist, die z. B. eine Frau, eine Mutter, ein Mann oder ein Vater, ein Kind zu spielen haben. Verhält sich jemand ganz anders als erwartet, so löst er nicht nur Verwunderung aus. Wer „aus der Rolle fällt“ wird oft bestraft, damit er sich in Zukunft so wie die anderen benimmt. Ein Kind, das sich z. B. nicht nach der erwarteten Art verhält, also „unartig“ ist, wird ermahnt oder sogar geschlagen. Eine Frau, die sich nicht so verhält, wie es von einer Frau erwartet wird, hält man für unweiblich und „schneidet“ sie. Als „unmännlich“ angesehene Männer werden häufig abgelehnt.*

Manche Rollenerwartungen sind sogar in Gesetzen festgelegt, so z.B. die Erwartung, daß Menschen nicht stehlen, daß niemand einen anderen tötet. Verstößt jemand dagegen, kommt er vor Gericht.

Die Rollenerwartungen haben sich in den letzten Jahren sehr gewandelt. Heute kaufen auch Männer ein, kochen, kümmern sich um die Kinder. Früher war es undenkbar, daß ein Mann mit Kinderwagen und Einkaufstasche unterwegs war.
Frauen arbeiten, fahren Auto, sitzen im Parlament. Vor 1918 durften sie noch nicht einmal wählen. An den Universitäten studieren Frauen erst seit etwa 100 Jahren.

A Wie sollte die Rollenverteilung in der Familie aussehen? Wer sollte einkaufen, kochen, saubermachen, Kinder versorgen, bei den Hausaufgaben helfen, mit den Kindern spielen, Geld verwalten, Entscheidungen treffen, das Geld verdienen . . .?

Die Geschichten und Bilder auf dieser Doppelseite können euch Anregungen geben.

A Spielt „Familie" in bestimmten Situationen, z.B. am Morgen, nach dem Abendessen, am Sonntag, im Urlaub . . .
Beobachtet das Spiel und besprecht die Rollen, die die einzelnen Familienmitglieder spielten.
Zieht Schlüsse.
Sagt, wie ihr euch ein Zusammenleben wünscht.

H Beim Rollenspiel „Familie" wird nur die Situation vorgegeben, z.B. Frühstück am Morgen: Der Vater muß in 10 Minuten zur Arbeit, die Mutter hat erst eine Stunde später Dienst, der Sohn hat noch 15 Minuten Zeit und schreibt in der 1. Stunde eine Mathematikarbeit, die Tochter hat noch 20 Minuten Zeit, weil ein Ausflug gemacht wird.
Bestimmte Beobachtungsaufgaben helfen euch bei der Auswertung, z.B.:
- Anteile der Familienmitglieder an der Bereitung des Frühstücks,
- Gesprächsanteile,
- besondere Rechte oder Pflichten . . .

__I__ Das Verhalten der Menschen, das Zusammenleben der Familien wird von der Umgebung geprägt.

Die Werbung regt nicht nur zum Kauf an, sondern auch dazu, so zu essen, so zu sprechen, so zusammenzuleben, wie die dort gezeigten Familien.

Die Arbeit z.B. am Computer zwingt Menschen, sich den Befehlen und Programmen anzupassen. Das wirkt manchmal in der Freizeit weiter.

Spielen z.B. Kinder vor einem Haus, in dem viele Menschen wohnen, müssen sie ruhiger sein.

Wenn viele Menschen z.B. Jeans tragen, in der Freizeit Sport treiben, die neueste Fernsehserie anschauen, bleibt das nicht ohne Folgen. Andere tun es auch, reden darüber, passen sich an.

Die Geschichte vom Zappel-Philipp

„Ob der Philipp heute still
Wohl bei Tische sitzen will?"
Also sprach in ernstem Ton
Der Papa zu seinem Sohn,
Und die Mutter blickte stumm
Auf dem ganzen Tisch herum.
Doch der Philipp hörte nicht,
Was zu ihm der Vater spricht.

Seht! Er schaukelt gar zu wild,
Bis der Stuhl nach hinten fällt;
Da ist nichts mehr, was ihn hält;
Nach dem Tischtuch greift er, schreit.
Doch was hilft's? Zu gleicher Zeit
Fallen Teller, Flasch' und Brot,
Vater ist in großer Not,
Und die Mutter blicket stumm
Auf dem ganzen Tisch herum.

Nun ist Philipp ganz versteckt,
Und der Tisch ist abgedeckt.
Was der Vater essen wollt',
Unten auf der Erde rollt. **1**

A Ihr habt verschiedene Familien untersucht. Versucht herauszufinden, woher die Unterschiede kommen.
Ordnet die Familien in:
- ○ partnerschaftliche,
- ○ von den Männern,
- ○ von den Frauen bestimmte.

Die verschiedenen „Modelle" könnt ihr
- ○ miteinander diskutieren,
- ○ den Eltern vorstellen und mit ihnen darüber reden,
- ○ mit Programmen/Auffassungen zur Familie oder Familienpolitik der Parteien, Kirchen, von Frauengruppen, Gruppen alleinerziehender Eltern usw. vergleichen.

H Fragt euch, was euch in eurer Familie gefällt oder mißfällt. Besprecht es mit den Eltern.

Nun solltet ihr nennen können, was die Familien heute bei uns von Familien früher unterscheidet. Euch sollte der Einfluß der Familie auf ihre Kinder klar sein.

Spielen von Familiensituationen heute und früher kann euch das nochmals verdeutlichen, z. B. Abendessen früher und heute – einschl. Vorbereitung des Essens und Abräumen.
Danach könnt ihr zusammenstellen:
Familien früher, heute, vielleicht morgen ...

Ergänzt:
Kinder lernen in der Familie ...
Kinder lernen durch Werbung ...
Kinder lernen von Freunden ...
Kinder lernen in der Schule ...

Wie sollte das Zusammenleben in der Familie nach eurer Meinung sein: ...

7. Morgens Zeitung, abends Fernsehen

Früher erfuhren die Menschen durch Erzählungen anderer, was ringsum geschehen war. Vor allem Gesellen und Studenten, die an anderen Orten lernten und arbeiteten, Händler und Soldaten konnten viel berichten.

Habt ihr heute schon eine neue Nachricht erfahren?
Wie habt ihr sie erfahren?
Woher kam die Nachricht?
Erfahrt ihr alles, was passiert, oder gibt es auch Ereignisse, von denen ihr nichts erfahrt?

Das Fernsehen hat unser Leben verändert. Manche Menschen sehen abends nur noch fern.
Was haben sie früher gemacht?
Wie lange schaut ihr täglich fern?
Warum sitzen manche Jungen und auch Mädchen lieber am Computer als vor dem Fernsehapparat?

Ziele der Arbeit:
Ihr solltet euch Gedanken über die tägliche Flut von Informationen machen, Meldungen, Berichte, Kommentare unterscheiden können, euch mit Fernsehen und Computer auseinandergesetzt haben.

I *Als vor 6000 Jahren die Schrift entwickelt wurde, änderte sich die Welt. Nun konnte etwas für die Nachwelt festgehalten werden. So haben wir geschriebene Bücher, die mehr als 2000 Jahre alt sind.*

Als Gutenberg 1450 den Druck mit beweglichen Lettern (Buchstaben) erfand, konnten Bücher schneller und in größerer Zahl hergestellt werden.
Im 17. Jahrhundert entstanden die ersten Zeitungen. Sie berichteten wöchentlich oder täglich das, was gerade geschehen war. Sie dienten auch dazu, den Bürgern Bestimmungen und Termine bekanntzumachen.

Zu Beginn dieses Jahrhunderts spielten in Europa und den USA die Zeitungen eine bedeutendere Rolle als je zuvor und danach.

Zur gleichen Zeit wurde der Rundfunk entwickelt, der sich in den 20er und 30er Jahren dieses Jahrhunderts durchsetzte.
In den 30er Jahren wurde das Fernsehen erfunden. In den 40er Jahren – bei uns wegen des 2. Weltkrieges etwas später – begannen regelmäßige Sendungen, erst schwarzweiß, dann bunt.

Heute gibt es weitere Möglichkeiten zur Nachrichtenübermittlung wie
- *Bildtelefon = jetziges Telefon + Fernsehbild des Gesprächspartners,*
- *Bildschirmtext = Fernsehgerät + Tastatur + Telefon stellen Verbindungen zu Banken, Kaufhäusern, Behörden . . . her,*
- *Telefax = Fernkopierer mit Hilfe des Telefons.*

A Versucht einmal in Geschichten oder Spielen darzustellen, was die Menschen zu verschiedenen Zeiten wußten, z.B. bevor es Zeitungen gab, als nur wenige Menschen lesen konnten ... Benutzt dazu die Bilder und Informationen auf dieser Seite.

Geschichte des Rundfunks

„Hier Sendestelle Berlin, Vox-Haus, Welle 400! – Meine Damen und Herren, wir machen Ihnen davon Mitteilung, daß am heutigen Tag der Unterhaltungsrundfunk mit Verbreitung von Musikvorführungen auf drahtlos-telefonischem Wege beginnt. Die Benutzung ist genehmigungspflichtig. Als erste Nummer bringen wir: Cello-Solo mit Klavier-Begleitung, Andantino von Kreisler, gespielt von Herrn Kapellmeister Otto Urack. Am Flügel: Herr Fritz Goldschmidt."
Mit diesen Worten begann am 29. Oktober 1923 das erste deutsche Rundfunkprogramm. **1**

H Bedenkt bei der Arbeit:
In früheren Jahren erfuhren die Menschen viel weniger als heute. Aber das, was nicht in unmittelbarer Nähe geschah, war für das eigene Leben meist auch nicht so wichtig.
Heute bekommen wir täglich Nachrichten aus aller Welt. Von Ereignissen in Brüssel, Paris, London, Washington, Moskau, Warschau ... sind wir oft direkt betroffen.

Geschichte des Fernsehens in der Bundesrepublik

Die erste Direktübertragung von einer Veranstaltung konnten die Zuschauer am 27. Mai 1951 miterleben, als ein Team von der Ausstellung der Deutschen Landwirtschafts-Gesellschaft berichtete. Im Januar 1952 wurde dann in Hamburg der erste Versuch mit der „Tagesschau" gemacht.
Am 25. Dezember war es dann auch offiziell soweit: Der NWDR begann in Hamburg mit der regelmäßigen Ausstrahlung eines Programms von 20.00 bis 22.00 bzw. 22.30 Uhr. Am Nachmittag kamen dann noch einmal zwischen 30 und 60 Minuten Programm dazu. Allerdings waren auch diese Anfänge eher bescheiden. So strahlte man die „Tagesschau" zunächst nur dreimal wöchentlich aus, erst am 1. Oktober 1956, als es längst das Gemeinschaftsprogramm der ARD gab, wurde diese Nachrichtensendung täglich ins Programm genommen. **2**

A Stellt zusammen:
- Was haben wir gestern erfahren?
- Woher haben wir es erfahren?
- Ist es wichtig?

Auch ein Streitgespräch ist möglich. Einerseits: Je mehr wir erfahren, desto besser. Andererseits: Wir erfahren zu viele unwichtige Ereignisse.

H Jeder sollte vom Vortage
- einen Teil einer Zeitung oder
- eine Nachrichtensendung im Fernsehen auswerten, indem er in Stichworten festhält, was und woher berichtet wurde.

Geschichte der Nachrichtenübermittlung

Trommeln, Feuer, Flaschen, Flaggen, Tauben

Die Eingeborenen von Afrika hatten ihre eigene Trommelsprache. Sie schickten Klopfzeichen von Dorf zu Dorf. Die Indianer und die Römer übermittelten ihre Nachrichten von einem Berggipfel zum anderen. Nachts gaben sie sich Zeichen durch Feuer und Fackeln. Am Tag ließen sie Rauch in bestimmten Abständen aufsteigen. Die Seefahrer vergangener Zeiten sandten ihre Nachrichten in schwimmenden Flaschen übers Meer.
In China gab es schon vor 3000 Jahren einen Postdienst. In Deutschland hatten vor 500 Jahren die Klöster, Städte und Kaufleute ihre eigene Pferdepost. Es dauerte aber oft viele Wochen, bis eine Nachricht überbracht worden war. **3**

A Nehmt euch verschiedene Zeitungen eines Tages und stellt fest:
- ○ Was fällt bei Überschriften besonders ins Auge?
- ○ Was wird durch Bilder interessant gemacht?
- ○ Was bringen alle Zeitungen?
- ○ Was meldet die eine Zeitung, was die andere?

Ihr könnt auch einen Vergleich von „Tagesschau“ und „Heute“ vornehmen.
- ○ Was wird in beiden gemeldet? Was steht am Anfang?
- ○ Was fehlt in der einen oder anderen Sendung?

H Auch in diesem Kapitel müßt ihr entscheiden, was ihr bearbeitet. Dazu ist das besonders geeignet, was viele interessiert und zu dem ihr geeignetes Material findet. In Gruppen können Einzelfragen vertieft bearbeitet werden.

No. Stadt-Düsseldorff Post-Zeitung. 187.

Paris / den 31. Octob.
Von Versailles wird geschrieben / daß der Marschall Hertzog von Berwyck seiter daß solcher aus Dauphine am Hoff arriviret seye / täglich mit dem König über die Sachen in Spanien Conferentz hielte / wohin gemeldeter General zum Ende dieses Monaths Novembris abreisen solle. Von Toulon wird vom 22. dieses geschrieben / daß in dasigem Hafen eine Convoy von mehr als 40. Fahrzeu[...] mit Lebens Mitteln und Kriegs-[...] lägen [...]

[...]rets der Hoffnung / daß hierdurch vieles Geld in des Königs Cassa kommen werde. Jngleichen ist auff dem Tapet / um die General-Pfachters und Thresorvers zu laxiren / man meinet aber / [...] diese Herren wol Mittel finden sol[...] Last von sich abzuleinen.

Ein and[...]

Br[...]

I *Die Massenmedien – so nennt man Zeitung, Rundfunk und Fernsehen, weil sie ein Mittel sind, viele Menschen zu erreichen – erhalten die Meldungen durch Agenturen und Berichterstatter.*

Agenturen sind Firmen, die Nachrichten verkaufen. Sie haben in den meisten Orten der Welt Berichterstatter oder Büros, die sie mit dem Neuesten versorgen. Die Nachrichten verkaufen sie an Zeitungen, Rundfunk und Fernsehen. Für die Fernsehanstalten gibt es außerdem täglich Überspielungen von Filmberichten aus aller Welt. Daneben unterhalten z. B. Kirchen, Parteien, Ministerien, Gewerkschaften usw. Pressestellen. Die Pressesprecher geben regelmäßig Berichte/Meldungen heraus. Auch die Bundesregierung hat eine solche Einrichtung, das Bundespresseamt mit dem Sprecher der Bundesregierung. Große Zeitungen, Rundfunk und Fernsehen haben an wichtigen Orten ständig Korrespondenten/Berichterstatter, die sie mit Meldungen versorgen. Zu wichtigen Ereignissen reisen Sonderkorrespondenten. Meist werden die Berichterstatter bei den Meldungen genannt, manchmal nur mit einer Abkürzung.
Die Redakteurinnen und Redakteure, die die Berichte ordnen und zur Veröffentlichung vorbereiten, erhalten mehr Berichte, als sie bringen können. Sie müssen entscheiden, was gemeldet wird und was nicht.
Kleine Zeitungen haben für die überörtlichen Seiten (Politik, Wirtschaft, Sport, Kultur) häufig eine gemeinsame Redaktion. Nur die „Lokalseiten“, d. h. die Seiten, in denen über die nähere Umgebung berichtet wird, unterscheiden sich. Dennoch haben sie unterschiedliche Namen auf dem Kopf der ersten Seite. Deshalb nennt man solche Zeitungen auch „Kopfblätter“.

Nachrichtenagenturen

Die wichtigsten deutschsprachigen Nachrichtenagenturen sind:

- Deutsche Presse-Agentur, dpa, gegründet 1949, Sitz in Hamburg
- Deutscher Depeschendienst, ddp, gegründet 1971, Sitz in Bonn
- Associated Press, AP, gegründet 1848, Stammhaus in New York, deutscher Sitz in Frankfurt
- Reuter, rtr, gegründet 1851, Stammhaus in London, deutscher Sitz in Bonn
- Agence France Press, AFP, gegründet 1944, Stammhaus in Paris, deutscher Sitz in Bonn

Darüber hinaus gibt es einige Spezialagenturen. Die wichtigsten sind:

- Vereinigte Wirtschaftsdienste, vwd, Eschborn
- Inter Press Service, IPS, Bonn
- Katholische Nachrichtenagentur, KNA, Bonn
- Evangelischer Pressedienst, epd, Frankfurt **4**

A Sucht in Zeitungen heraus, woher und von wem eine Meldung kommt. Dabei findet ihr Abkürzungen wie dpa, epd, AP . . .

I *Die Nachrichtenagentur der früheren DDR war der Allgemeine Deutsche Nachrichtendienst (ADN).*

Zu wichtigen Ereignissen lassen die Redakteurinnen und Redakteure Kommentare (Wertungen und Erklärungen) schreiben. Der Kommentator oder die Kommentatorin werden in der Regel genannt (evtl. auch mit einem Zeichen aus wenigen Buchstaben). Auch im Rundfunk und Fernsehen gibt es Kommentare.

A Vergleicht die Berichte über ein Ereignis in verschiedenen Zeitungen miteinander.

- Was berichten sie z.B. über den Besuch eines Königs/Präsidenten, einen Unfall ...
- Welcher Bericht gefällt euch besser? Warum?
- Wem wird der eine oder andere Bericht noch gefallen? Wem wird er weniger gefallen?
- Wird das Ereignis kommentiert?
- Stimmen die Kommentare überein?

Wie unterscheiden sich Meldung und Kommentar? (Lest dazu die Texte auf dieser Doppelseite.)

Wenn in einem fast menschenleeren Gebiet etwas geschieht, erfährt es kaum jemand. Wenn z.B. bei euch im Ort die Zeitung nicht über euer Schulfest berichtet, wissen nur Schüler, Eltern, Lehrer und Besucher etwas davon.

Auch vor Schulen nicht vom Gas
Nordrhein-Westfalen fordert sofortiges Fahrverbot für Raser

AP. Raser am Steuer geben auch vor Schulen ohne Hemmungen Gas. Das ist das Ergebnis einer in ihrem Umfang bisher einzigartigen Serie von Geschwindigkeitskontrollen auf Schulwegen, deren Bilanz der nordrhein-westfälische Innenminister Herbert Schnoor am Dienstag in Düsseldorf vorstellte. Danach fuhr jeder fünfzehnte der 170000 kontrollierten Autofahrer auch in der Nachbarschaft von Schulen „deutlich" zu schnell.

Gleich zwei Fahrer rasten mit 121 Stundenkilometern in die Radarkontrollen. **5**

Gaspedal

Kinder passen nicht ins System. Sie haben weder Stoßstange noch Sicherheitsgurt, und manchmal neigen sie dazu, kindisch zu sein. Sie rennen unverhofft über die Straßen, wenn sie beim Frühstück getrödelt haben und der Lehrer in der Schule doch so auf Pünktlichkeit achtet.

In der Nähe von Schulen, so das Einmaleins aus der Fahrprüfung, gehört der Fuß nicht feste aufs Gaspedal, sondern eher schon über die Bremse. Was man angesichts der herrschenden Verkehrs-Unkultur auf den Straßen ahnen könnte, belegt nun eine Untersuchung aus Nordrhein-Westfalen. Auch dort, wo es sich fast wie von selbst verbietet, wird lebensgefährlich gerast. Daß einer sogar mit 121 Sachen an einer Schule vorbeidonnert, kann auch nicht mit persönlichen schlechten Erfahrungen mit jener Bildungseinrichtung entschuldigt werden.

Verkehrserziehung sollte, wie man sieht, nicht nur den Kindern erteilt werden. **6** jw

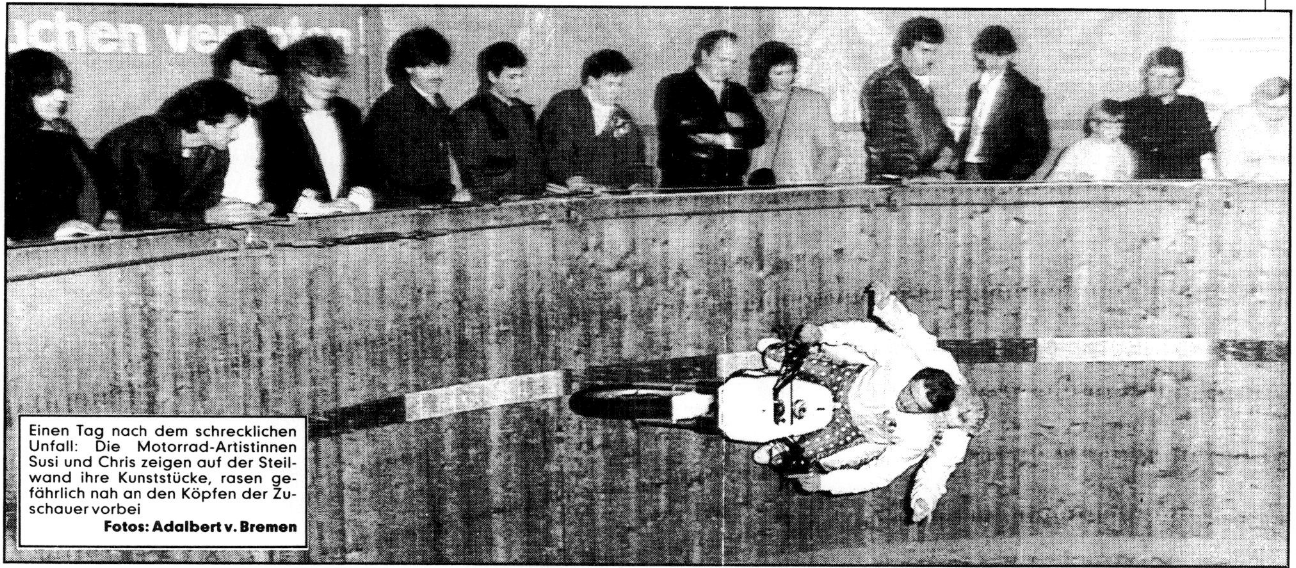

Einen Tag nach dem schrecklichen Unfall: Die Motorrad-Artistinnen Susi und Chris zeigen auf der Steilwand ihre Kunststücke, rasen gefährlich nah an den Köpfen der Zuschauer vorbei

Fotos: Adalbert v. Bremen

H Bei der Arbeit solltet ihr viel experimentieren, z.B. Zeitungsbilder vertauschen, Überschriften ändern, euch an Nachrichten und Filme zu erinnern versuchen usw. Welche Schlüsse könnt ihr ziehen?

Motodrom: Todesfahrer Pico machte einen Fehler

Motorrad blieb im Sicherungsseil hängen

Von THILO BÜSCHING

Samstagnachmittag auf der Dippemess', kurz nach halb sechs: Neugierige bestaunen im „Motodrom" (fünf Mark Eintritt) den Mut von zwei Artisten mit ihren Motorrädern an der steilen „Todeswand". Dann kommt die gefährlichste Nummer.

Mit 60 Sachen jagt der Jugoslawe Pico Draganovic (27) auf seiner 125er Honda über die Holzbahn, will ein Go-Kart überholen. Dabei macht der Artist einen verhängnisvollen Fehler: Er verreißt den Lenker, fährt sich über den Fuß, verliert das Gleichgewicht. Wie von einem Katapult wird der Mann in die Luft geschleudert, fliegt in hohem Bogen kopfüber in die Zuschauermenge. Sein Motorrad bleibt zum Glück im Sicherungsseil hängen.

Eine Hausfrau (40) aus Rodenbach und eine taubstumme Schülerin (17) aus Schmitten werden von Pico umgerissen, schlimm verletzt: Rißwunden im Gesicht, Schädelprellungen, Schulterfraktur – schwerer Schock. Gestern wurden sie wieder aus dem Katharinenhospital entlassen.

„Motorrad-Cowboy" Pico muß noch eine Woche drinbleiben, hat sich Knöchel und Zehen gebrochen. Nach einer Stunde Unterbrechung ging's im „Motodrom" weiter. „The show must go on . . ." **8**

Dippemess': Steilwandfahrer in Zuschauer geschleudert

zei. Drei Menschen sind am Samstagnachmittag auf der Dippemess' am Ratsweg in Frankfurt verletzt worden, als bei den Vorführungen der Steilwandfahrer ein 27 Jahre alter Jugoslawe von der Fußraste abrutschte und die Kontrolle über das Fahrzeug verlor. Das Zweirad blieb im Sicherungsseil hängen, das vor den Zuschauerrängen gespannt ist; der Fahrer aber wurde in die Menge geschleudert. Der Jugoslawe erlitt erhebliche Verletzungen und kam ins Krankenhaus. Auch zwei Zuschauerinnen, eine Vierzigjährige aus Rodenbach im Kreis Main-Kinzig und eine Siebzehnjährige aus Schmitten im Taunus, müssen ihre Verletzungen stationär in einem Krankenhaus behandeln lassen. Nach rund einstündiger Unterbrechung seien die Vorführungen der Steilwandfahrer auf dem Volksfest fortgesetzt worden, berichtete die Polizei gestern. **7**

A Vergleicht Fernsehzeitungen miteinander.

- In welcher findet ihr euch besser zurecht? Warum?
- Was gefällt euch noch?
- Wem wird die eine oder andere Zeitung mehr gefallen? Warum?
- Welche Sendungen gibt es im Fernsehen an einem Tag?
- Was interessiert euch, was vermutlich eure Eltern und Geschwister?

Jeder stellt eine Liste seiner Wunschsendungen auf. Vergleicht diese Listen miteinander. Woher können die Unterschiede kommen? Fragt eure Eltern, ob ihr mit euren Vermutungen über ihre Fernsehwünsche recht hattet.

A Jeder von euch möchte bestimmte Sendungen unbedingt sehen.
Ein Versuch: Zwingt euch kurz bevor die Sendung beginnt, nicht einzuschalten. Beobachtet euch, schreibt eure Gefühle nieder und berichtet den anderen.

Schaut euch gemeinsam eine (aufgezeichnete) Fernsehsendung an.
Sprecht darüber. Was gefiel euch, was nicht? Wie ist die Meinung der Lehrerin bzw. des Lehrers? Was beabsichtigen Autor/in (Schreiber), Regisseur/in (Spielleiter) der Sendung (Unterhaltung, Information, Belehrung . . .)?
Wie haben sie versucht, es zu erreichen?
Ist es ihnen bei euch gelungen?

Ihr könnt auch eine (aufgezeichnete) Nachrichtensendung ansehen. Jeder schreibt anschließend auf, was er noch weiß.

Vergleicht:

- Was wurde vergessen?
- Was wurde zugefügt?
- Warum?
- Was fiel euch sofort wieder ein?

Jeder nennt Sendungen, die er für gut hält, und solche, die er als schlecht ansieht. Vergleicht, begründet.

Erwachsene bezeichnen manche Sendungen des Fernsehens als für Kinder ungeeignet. Fragt Erwachsene:

- Welche Sendungen sollten Kinder nicht sehen? Warum?
- Welche Sendungen sollten Kinder oder können Kinder sehen? Warum?

Tragt die Ergebnisse zusammen und vergleicht.
Sagt auch eure Meinung dazu.

H Nicht nur Eltern haben unterschiedliche Auffassungen darüber, was Kinder sehen dürfen und was nicht. Auch bei Erziehungswissenschaftlern ist das umstritten.
Könnt ihr vielleicht für euch zusammenstellen, wo Vorsicht geboten ist?
Ihr könnt dazu das Material auf Seite 79 zum Fernsehverhalten und zur „Herstellung" einer Sendung benutzen.

„Ich hab's mal ausgerechnet:
Er hat eine tägliche Einschlafquote von 63 Prozent!"

Tägliche Sehdauer bei Kindern (in Minuten):

	Mo.–Fr.	Sa.	So.	Mo.–So.
6 bis 13 Jahre	80	114	94	87
ab 14 Jahre	140	179	186	152

9

Auf den Punkt gebracht, kann man festhalten, daß der durchschnittliche deutsche Fernsehzuschauer im Jahr 3000 Stunden schläft, 2000 Stunden arbeitet und 1000 Stunden fernsieht. **10**

A Ihr könnt folgendes probieren: Etwa die Hälfte der Klasse macht aus einem Ereignis, z.B. einem Wandertag, eine Nachricht. Ihr könnt dazu auch Fotos oder eine Video-Kamera benutzen.
Die andere Hälfte macht aus einem „Nicht-Ereignis", z.B. einem Gedränge beim Verlassen des Schulgebäudes oder einem verlorenen Kugelschreiber, einen Bericht.

Ihr könnt auch über die Karikaturen ein Gespräch führen.

„Manchmal habe ich Sehnsucht, einen einfachen Frosch quaken zu hören."

Wie man aus einer Mücke einen Elefanten macht.

Werner Schmid, Lokalreporter, berichtet: „Das Schwierigste in meinem Beruf ist wohl, aus den kleinen alltäglichen Begebenheiten interessante Berichte zu machen. Als Vorbild habe ich einen Berliner Kollegen, der als Lokalreporter einer großen Zeitung einmal schrieb: ‚Gestern hatten wir einen Anblick, der uns das Blut in den Adern gefrieren ließ. Ein Auto, das in sehr raschem Tempo die Friedrichstraße entlanggefahren kam, hätte fast ein Kindermädchen mit zwei Kindern überfahren. Es hätte eine herzzerreißende Katastrophe gegeben, wenn das Kindermädchen nicht in wunderbarer Voraussicht die Kinder zu Hause gelassen hätte und selbst zufällig in eine Drogerie getreten wäre, als der Wagen vorbeikam. Dann wandte auch der Fahrer, gerade bevor er an die Kreuzung kam, den Wagen um, weil er etwas vergessen hatte, und er fuhr in entgegengesetzter Richtung davon. Wäre nicht dieses wunderbare Zusammentreffen von Zufällen gewesen, so wären ein liebender Vater, eine zärtliche Mutter und treue Brüder und Schwestern in tiefstes Weh und fast unerschwingliche Beerdigungskosten gestürzt worden.'" **11**

A Beobachtet euch gegenseitig beim Computerspielen und macht dazu Versuche, z. B.

- plötzlich das Spiel unterbrechen,
- ein Gespräch mit dem Spieler beginnen.

Stellt fest, ob Computerspezialisten sich über manche Dinge besser oder schlechter unterhalten können.

Laßt dann auch Mitschüler genau schildern, was sie bei diesen Spielen fühlen, worum es ihnen geht.

Was ihr bei der Arbeit herausgefunden habt, könnt ihr mit Nachbarklassen oder auch Eltern diskutieren. Ihr könnt die Ergebnisse auch auf einer Wandzeitung veröffentlichen und mögliche Reaktionen beobachten.

Ein Computerfan berichtet.

„Ich war der typische Spielhallentyp, der immer vor den Videogeräten stand, und das hat mich zuviel Geld gekostet. Ja, und dann habe ich in irgendeinem Katalog gelesen, daß die einen Computer haben, der Schach spielt, und da dachte ich mir: feine Sache. Und dann habe ich gesehen, daß man damit auch was anderes spielen kann, und da dachte ich mir: willste auch machen. Ich hatte überhaupt keine Ahnung, wirklich nicht, wie man so ein Ding programmiert – ich wußte nur, daß es geht. Und da dachte ich mir: einfach mal probieren. Und da habe ich meine Eltern so langsam mürbe gekriegt, bis ich so ein Ding gekriegt habe, und dann habe ich halt angefangen. Also in der Anfangsphase ist das echt gefährlich. Da kann es passieren, daß man morgens aufsteht, frühstückt, ein Spiel reinlegt und bis zum Mittagessen spielt; Mittag ißt, sich wieder dran setzt und bis zum Abend spielt. Abendbrot ißt, sich wieder dran setzt und bis tief in die Nacht hinein spielt. Das kann passieren, daß man zehn Stunden am Tag vor so einem Ding hockt. Das halten natürlich nicht viele durch, sondern nur die harten Spieler." **12**

Nach der Arbeit über Zeitung, Rundfunk, Fernsehen und Computer sollte euch klar sein, daß wir mit mehr Informationen leben als die Menschen früher. Ihr solltet euch überlegt haben, wie man mit so vielen Angeboten umgehen kann, und in der Lage sein, für euch Wichtiges von Unwichtigem zu unterscheiden.

Haltet fest:

	vor der Erfindung	Möglichkeiten und Folgen danach
Schrift	. . . .	. . . .
Zeitung	. . . .	. . . .
Rundfunk	. . . .	. . . .
Fernsehen	. . . .	. . . .
Telefon	. . . .	. . . .

Was müßt ihr versuchen, um über ein Ereignis möglichst vollständig informiert zu sein: . . .

Gesichtspunkte, unter denen ihr eine Sendung auswählen könnt: . . .

8. Urlaub, Wochenende, Feierabend

Eure Eltern können nicht ununterbrochen arbeiten, ihr könnt nicht jeden Tag in der Schule sitzen und anschließend Hausaufgaben machen – jeder Mensch braucht auch freie Zeit.

Freie Zeit hat in den letzten Jahren zugenommen, so daß einige Forscher schon von Freizeitgesellschaft sprechen. Arbeitslose haben unfreiwillig viel Zeit.

Wieviel freie Zeit habt ihr? Wißt ihr mit eurer freien Zeit etwas anzufangen?

Geht es andere etwas an, was jemand in der Freizeit tut?

Ziele der Arbeit: Ihr solltet erkennen, daß alle Menschen Freizeit brauchen und daß diese sehr unterschiedlich verbracht werden kann. Ihr solltet Überlegungen anstellen können, was für euch, was für andere, was für alle in der Freizeit wichtig ist.

A Stellt zusammen, was euch zu freier Zeit, Urlaub, Wochenende, Feierabend einfällt.

Versucht es zu ordnen, z.B. nach:

- Freizeit früher – heute,
- Freizeit bei uns – anderswo,
- Freizeitbeschäftigungen: Vorteile – Nachteile,
- Vorschläge für die freie Zeit,
- Freizeitbeschäftigungen, die viele Menschen für gut halten,
- Freizeitbeschäftigungen, die viele Menschen für schlecht halten.

H Im Gespräch könnt ihr für euch interessante Schwerpunkte finden. Das Material bringt Beispiele aus Freizeit früher und anderswo.

„Freizeit" im Mittelalter

Es gab Spielsachen für die Kinder! Sie hatten Puppen und Puppenkutschen, vor die Mäuse gespannt wurden, sie hatten Holzritter und Waffen, kleine Tiere aus gebranntem Ton, Windmühlen, Bälle, Federballschläger und Federbälle, Stelzen, Wippen und Karussells.

Ein Junge adliger Abkunft blieb etwa bis zu seinem siebten Lebensjahr in der Obhut der Frauen, die ihm Benehmen beibrachten und ihn lesen und schreiben lehrten. Im Alter zwischen acht und vierzehn Jahren wurden die Jungen als Pagen (Burschen) auf die Burg eines benachbarten Ritters geschickt, so wie die Söhne der Gemeinen als Lehrlinge oder Diener in einer befreundeten Familie aufgenommen wurden. Einem Herrn zu dienen wurde nicht als erniedrigend angesehen. Es war völlig normal, daß ein Page oder ein erwachsener Knappe dem Herrn beim Baden half, für seine Kleider sorgte, ihn bei Tisch bediente und dennoch dessen adligen Status teilte. Als Gegenleistung für diese unbezahlte Arbeit kümmerte sich der Herr um die Ausbildung der Adelskinder. Sie lernten zu reiten, zu kämpfen und zu jagen, was die drei körperlichen Hauptbeschäftigungen adligen Lebens waren. Sie lernten auch, Schach und Backgammon zu spielen, zu singen, zu tanzen, zu musizieren, zu komponieren, und andere Fertigkeiten. **1**

Reifentreiben (um 1910)

Ein leichter Holzreifen und ein Stöckchen, ihn damit langsamer und schneller vorwärts, im Kreise oder im Zickzack zu treiben – diese Geschicklichkeit nach und nach durch Übung zu erlangen, bildet die erfrischende Unterhaltung des der Gesundheit sehr zuträglichen Spieles, das ein Kind oder Mädchen allein für sich oder in Gemeinschaft mit anderen im wettlustigen Eifer betreiben kann.

Ein richtiger Reifen muß von starkem Eschenholz, auswärts rund und innen glatt und so hoch sein, daß er den Spielenden beinahe bis zur Schulter reicht, damit diese sich beim Treiben nicht bükken dürfen. Der Stock muß ungefähr 40 cm lang und ebenfalls wie der Reifen aus zähem Eschenholz geschnitzt sein. Der Reifen wird mit kräftigen Schlägen gegen die Mitte und immer in aufrechter Stellung, nie schrägliegend vorwärts getrieben. **2**

A Ihr könnt auch versuchen, über die freie Zeit von Kindern und Jugendlichen in Deutschland vor 1933 etwas zu erfahren. Ein Vorschlag: Wertet Kinder- und Jugendbücher aus. In vielen Familien finden sich noch solche Bücher, in denen das Leben von Kindern und Jugendlichen geschildert wird. Vergleicht sie mit heutigen Büchern.

Bete und arbeite (um 1820)

So dringend auch die guten Eltern unsere Kinder wiederholt ermahnt hatten, nie finster und mürrisch, sondern stets heiter und froh zu sein, so wollte es diesen doch immer noch nicht gelingen, sich eine unverändert rosige Laune anzueignen. Sie klagten dies ihrem Vater und baten ihn um seinen Rath. Der Grund liegt in Euch selbst, sprach der Vater, Ihr kennet wohl noch nicht die beiden einzigen Mittel, welche sicher zu jenem Ziele führen, oder Ihr gebrauchet sie nicht; es sind diese: Bete und arbeite! Denn wenn Ihr stets Eure Seele auf Gott richtet und nie müßig umherwandelt oder stehet oder sitzet, so werdet Ihr nie Langeweile haben, nicht gottlos werden und dann auch ganz gewiß niemals mißmüthig sein. So habe ich's gehalten von Kindheit auf, und darum sehet Ihr mich stets froh. **3**

A Kinder und Jugendliche mußten von 1933 bis 1945 in der Hitler-Jugend oder im Bund Deutscher Mädchen Dienst tun (10–14: Jungvolk, Jungmädel).
Lest das Material, sprecht darüber.
Versucht von euren Großeltern oder anderen Menschen, die jetzt über 60 Jahre alt sind, etwas über diese Zeit zu erfahren:

- Wie sah der „Dienst" in der Hitler-Jugend aus?
- Wie wurde er damals erlebt?
- Was sagen die Menschen heute dazu?

Sprecht darüber, was Freizeit für euch heute bedeutet.

„... hart, tapfer und treu" – das Deutsche Jungvolk

Wie Soldaten mußten die Zehnjährigen zur Musterung antreten, ehe sie zum Dienst im Jungvolk einberufen wurden. Die Aufnahme erfolgte am Vorabend des 20. April, Hitlers Geburtstag, durch den „Reichsjugendführer" in einer Feier, die im Rundfunk übertragen wurde. Jeder neu aufgenommene Pimpf mußte eine Verpflichtungsformel nachsprechen: „Ich verspreche, in der Hitler-Jugend allzeit meine Pflicht zu tun in Liebe und Treue zum Führer und unserer Fahne."

In den ersten Monaten seiner vierjährigen Zugehörigkeit zum Jungvolk bereitete sich der „Pimpf" auf die „Pimpfenprobe" vor, den Höhepunkt des ersten Jungvolkjahres. Dabei galt es, sechzig Meter in zwölf Sekunden zu sprinten, 2,75 Meter weit zu springen und den Schlagball mindestens 25 Meter zu werfen. Man mußte an einer eineinhalbtägigen Fahrt teilnehmen, über den Aufbau und die Führung des Fähnleins Bescheid wissen, das Horst-Wessel- und das HJ-Fahnenlied sowie die sogenannten „Schwertworte" kennen: „Jungvolkjungen sind hart, schweigsam, tapfer und treu. Jungvolkjungen sind Kameraden. Der Jungvolkjungen Höchstes ist die Ehre." **4**

„Freizeit" im Bund Deutscher Mädchen
Jetzt heißt die Parole zackig, zackig.

Die Heimabende, zu denen man sich in einem dunklen und schmutzigen Keller traf, waren von einer fatalen Inhaltslosigkeit.

Die Zeit wurde mit dem Einkassieren der Beiträge, mit dem Führen unzähliger Listen und dem Einpauken von Liedertexten totgeschlagen. Aussprachen über politische Texte – etwa aus „Mein Kampf" – endeten schnell in allgemeinem Verstummen. Unsere Gruppenführerin war Verkäuferin in einem Optikgeschäft ...

In besserer Erinnerung sind mir die Wochenendfahrten mit den Wanderungen, dem Sport, den Lagerfeuern und dem Übernachten in Jugendherbergen. Gelegentlich gab es dabei Geländespiele mit benachbarten Gruppen. Wenn zwischen ihnen Rivalitäten bestanden, artete das Spiel manchmal in zünftige Prügeleien aus. Was für einen Anblick die sich um einen Wimpel raufenden Mädchen einem Außenstehenden geboten haben mögen, will ich mir lieber nicht ausmalen.

Wenn wir zum Appell angetreten waren und im Glied geschwätzt wurde, brüllte die Führerin laut „Schnauze!" Dann war es sofort still.

Sie ließ uns manchmal in Dreierreihen über den Kurfürstendamm marschieren und einen Teil der Strecke im Laufschritt zurücklegen. Dabei sollten wir möglichst laut trampeln. „Hier wohnen die reichen Juden', sagte sie, ‚die sollen ruhig mal ein bißchen im Mittagsschlaf gestört werden." **5**

H Wenn ihr Menschen nach ihren Erlebnissen in der nationalsozialistischen Zeit befragt, werdet ihr oft Zurückhaltung erleben. Manchmal wird diese Zeit gar nicht kritisiert.

Auch Menschen, die vor 1989 in der DDR lebten, möchten euch oft nicht alles erzählen.

Bedenkt, daß es oft schwerfällt, das was einmal als „richtig" galt, zu kritisieren.

I Nicht allen Kindern und Jugendlichen geht es wie euch. In vielen Ländern müssen sie schon sehr früh mitarbeiten und für die Familie Geld verdienen. In anderen Ländern ist es üblich, daß die Kinder sehr früh in der Familie Aufgaben übernehmen müssen und so kaum Zeit für sich haben. Das ist auch z.B. in der Türkei so.

Auch in Deutschland wurden Kinder bis ins vorige Jahrhundert hinein sehr früh als kleine Erwachsene angesehen. Arbeiterkinder mußten mitarbeiten.

In der Deutschen Demokratischen Republik (DDR) mußten bis 1989 Kinder und Jugendliche in den Jugendorganisationen (Pionierorganisation „Ernst Thälmann" von der 1. bis zur 7. Klasse, danach FDJ = Freie Deutsche Jugend) Dienst tun.

A Befragt eure ausländischen Mitschülerinnen und Mitschüler und deren Eltern oder Menschen, die aus anderen Ländern kommen (lest dazu die Texte):
- ○ Ab wann werden Kinder zur Arbeit herangezogen?
- ○ Was haben sie zu tun?
- ○ Haben Sie freie Zeit, in der sie tun können, was sie wollen?
- ○ Gibt es Einrichtungen, in denen sie mitwirken müssen?

Menschen aus den neuen Bundesländern könnt ihr fragen, was Kinder und Jugendliche früher taten und jetzt tun.

„Freizeit" in der Türkei

Von etwa 7 Jahren an übernehmen die Kinder einen Teil der Aufsicht über ihre kleineren Geschwister. Oft tragen sie sie auf dem Rücken; die Frauenkleidung im Dorf eignet sich für diese Art, Babys oder Kleinkinder zu tragen.

Die Kinder wachsen schon von sehr klein an in die Erwachsenenwelt hinein. Sie werden nach der Geburt nicht von der Mutter getrennt. Nach einer traditionellen Regel dürfen die Mutter und das Baby erst 40 Tage nach der Entbindung das Haus verlassen. Auf dem Land kann es sich die Mutter allerdings u. U. nicht leisten, so lange von der Arbeit wegzubleiben; in der Stadt wird diese Frist aus anderen Gründen meist nicht eingehalten. Danach werden die Kinder mit zur Arbeit genommen, wo sie, wenn sie älter sind, nach ihren Kräften oder ihrer Geschicklichkeit mitmachen können. Die Babys und Kleinkinder werden auch sonst überall – bis in die Nacht hinein – mitgenommen, zu Besuchen, zum Einkaufen, zu Behörden, auf die Straße, ins Kino, in die Stadt, ins Konzert. Die älteren Kinder tragen vielfach durch Dienstleistungen oder auch durch körperliche Arbeiten zum Lebensunterhalt der Familie bei.

Im Dorf dürfen die Söhne mit etwa 7 Jahren den Vater in die Moschee oder ins Kaffeehaus begleiten. Daß ein Sohn in diesem Alter zu sehr an der Schürze der Mutter hängt, wird nicht gern gesehen. Während die Söhne eine größere Bewegungsfreiheit in ihrer Umwelt haben, übernehmen die Töchter mehr Arbeitsverantwortung. So sind die älteren Töchter neben der Mutter für die Erziehung der Kleineren verantwortlich. Auch die Hausarbeiten werden zuerst teilweise und mit dem Alter zunehmend von ihnen übernommen. **6**

I In früheren Jahrhunderten war die freie Zeit durch die jahreszeitlich bedingte Arbeit in der Landwirtschaft geregelt.
Die Freizeit wurde durch viele Feste bestimmt.
Es gab noch keine gute Beleuchtung. So standen die Menschen beim ersten „Hahnenschrei" auf und gingen „mit den Hühnern" schlafen.

Arbeitszeit und arbeitsfreie Zeit gingen zum Teil ineinander über. Mit Arbeit wurde etwa soviel Zeit verbracht wie heute.
Im vorigen Jahrhundert aber stieg in der entstehenden Industrie die Arbeitszeit in unvorstellbarem Maße an – bis zu 16 Stunden pro Tag ohne Pausen.
In der Verfassung des Deutschen Reiches von 1919 wurde die 48-Stunden-Woche festgelegt, d.h., daß nicht mehr als 48 Stunden in der Woche (meist 8 Stunden an den 6 Werktagen) gearbeitet werden durfte. Die Gewerkschaften setzten in Verhandlungen mit den Arbeitgebern in den 60er Jahren nach und nach durch, daß nur noch 40 Stunden in der Woche (meist an 5 Tagen) gearbeitet wird. Die Forderung der Gewerkschaften in der Bundesrepublik zielt heute auf die 35-Stunden-Woche. In vielen Bereichen liegt die Arbeitszeit schon unter 40 Stunden in der Woche.

Urlaub war am Anfang des Jahrhunderts nur in wenigen Berufen üblich. Die wenigen Tage wurden oft erst nach längerer Betriebszugehörigkeit gewährt. Später gab es mehr Urlaubstage, selten jedoch über zwei Wochen. Heute gibt es meist zwischen 4 und 6 Wochen bezahlten Urlaub.

A Wertet Zeitungen, Broschüren, Rundfunk- und Fernsehsendungen aus:
- ○ Was wird für die Freizeit angeboten und vorgeschlagen?
- ○ Vorschläge für Ausflüge, Besichtigungen . . .
- ○ Artikel über Probleme der Freizeit.

Befragt Freizeitspezialisten, z.B. Wirte, Angestellte in Reisebüros, Sportwarte . . .:
- ○ Wer betreibt Sport, geht ins Wirtshaus, reist gerne . . .?
- ○ Was kostet Tennis, eine Busreise, eine Gesangstunde . . .?
- ○ Woran sind die Frauen, die Männer, Jugendliche interessiert?

H Die Bilder zeigen Freizeitbeschäftigungen, durch Freizeit verursachte Schäden, Freizeitangebote . . . heute.

A Untersucht, ob und wo es bei euch Auswirkungen/Schäden durch Freizeitbeschäftigungen gibt.

Befragt Menschen, die in den Bergen, an der See . . . ihre Freizeit verbringen, und Menschen, die daran Kritik üben.

Stellt die Argumente gegenüber. Die Bilder können euch Anregungen geben.

I *Nicht alle arbeitsfreie Zeit ist freie Zeit. Viele Menschen brauchen täglich eine Stunde, manchmal sogar mehr, um morgens zu ihrer Arbeitsstelle zu kommen und abends wieder nach Hause – mit Auto, Bahn oder Bus. Zeit braucht der Mensch zur Essenszubereitung, zum Essen, zur Körperpflege, zum Schlafen. Haushalt und Kinder müssen versorgt werden, eine Arbeit, die Männer und Frauen leisten können.*

Freizeit von Schülern

	Großstadt	Mittelstadt	Kleinstadt u. Landgemeinde
Zahl der befragten Schüler:	477	123	164
Mittlere Schlafdauer	8^h53^m	8^h57^m	8^h43^m
Zeit für Körperpflege, Ordnen persönlicher Dinge, Essen	2^h22^m	2^h34^m	2^h48^m
Unterrichtszeit	4^h30^m	4^h30^m	4^h30^m
	15^h45^m	16^h01^m	16^h01^m
Pausenzeit in der Schule	0^h40^m	0^h40^m	0^h40^m
Wegzeit zu und von der Schule	0^h30^m	0^h26^m	0^h46^m
Dauer der täglichen Hausaufgaben	2^h24^m	1^h52^m	2^h14^m
Dauer der häuslichen Mithilfe	0^h22^m	0^h22^m	0^h32^m
	3^h56^m	3^h20^m	4^h12^m
„Freie Zeit"	4^h19^m	4^h39^m	3^h47^m
Gesamtzeit	24^h00^m	24^h00^m	24^h00^m 7

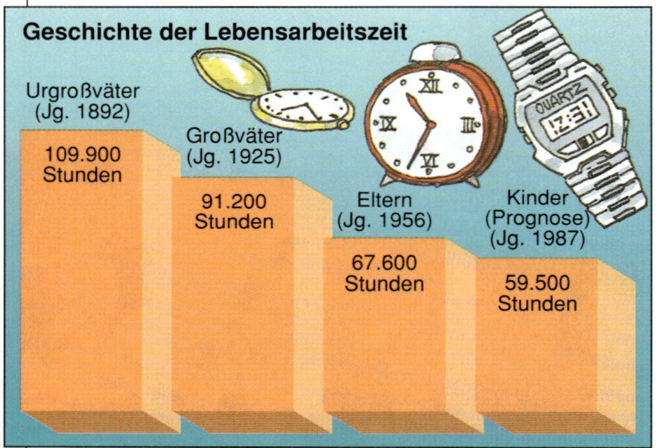

A Wieviele freie Zeit habt ihr, haben eure Eltern?
Das oben stehende Material ermöglicht einen Vergleich.
In der freien Zeit wird auch gearbeitet.
Beobachtet, was am Abend, an Wochenenden, z.B. in (Hobby-) Werkstätten, Gärten, an Neubauten . . . geschieht.
Diskutiert:
- notwendige Arbeit,
- freiwillige Arbeit in der Freizeit,
- Arbeit zum Spaß,
- Arbeit für andere,
- Arbeit gegen Geld in der Freizeit.

I Es gibt neben der Arbeit, die zum Geldverdienen dient, Arbeit, die in der Familie geleistet werden muß, wie:
Kochen, Backen, Putzen und Waschen für die Familie, Versorgung der Kinder . . .

Daneben gibt es selbstbestimmte Arbeit zu Hause oder anderswo.
Der Briefmarkensammler leistet sie an seiner Sammlung.
Die Tennisspielerin trainiert für eine Meisterschaft.
Der Hobbybastler arbeitet am Bau eines Modells.

In der Freizeit arbeiten Menschen auch außerhalb des Haushalts:

Es gibt Schwarzarbeit = Arbeit gegen Bezahlung für Tätigkeiten, die eigentlich einer Firma übergeben werden sollten. Beispiele: Autoreparatur, Malerarbeiten, Bauarbeiten, Näharbeiten, Gartenarbeiten. Die Arbeit erfolgt meist am Wochenende oder abends. Schwarzarbeit ist verboten. Ohne Schwarzarbeit könnten mehr Arbeitsplätze geschaffen werden. Schwarzarbeiter zahlen keine Steuern und keine Versicherungsbeiträge. Der „Kunde" hat außerdem keine Garantie für gute Arbeit.

Nachbarschaftshilfe = Hilfe und Gefälligkeiten für Freunde, Nachbarn, Verwandte. Sie ist erlaubt. Der Helfer bekommt neben Dank evtl. eine kleine Anerkennung. Beispiel: Hilfe beim Umzug, Renovierung der eigenen Wohnung, Babysitting.

Ehrenamtliche Tätigkeit = Arbeit für andere ohne Bezahlung. Beispiele: Arbeit im Vorstand eines Vereins, in einer Partei, Arbeit in Parlamenten der Gemeinden, Tätigkeiten im Elternbeirat, Arbeit in einer Gewerkschaft, Arbeit im Roten Kreuz, in der Arbeiterwohlfahrt . . . Aber auch: Mitarbeit in den Kirchen und der Schülervertretung.
Demokratie ist auf ehrenamtliche Arbeit angewiesen. Ebenso sind Hilfe für Menschen in Not, Angebote für Sport, Pflege des Gesanges ohne ehrenamtliche Arbeit nicht denkbar.

Arbeiterwohlfahrt

Diakonisches Werk der Evangelischen Kirche in Deutschland

Deutscher Caritasverband

Deutscher Paritätischer Wohlfahrtsverband

Zentralwohlfahrtstelle der Juden in Deutschland

Deutsches Rotes Kreuz

A Ihr könnt versuchen festzustellen, welche ehrenamtliche Arbeit Eltern und Freunde leisten, wo es Nachbarschaftshilfe gibt.

Ihr könnt Interviews mit
- örtlichen Parteivorständen,
- Vereinsvorständen,
- Rote-Kreuz-Mitarbeitern . . .

machen und dabei fragen, was an ihrer Arbeit wichtig ist, was geschehen würde, wenn diese Arbeit nicht getan würde.

A Wertet das Material, Erzählungen, Prospekte, Reiseberichte . . . aus:

- Warum wird Urlaub gemacht?
- Wo wird Urlaub gemacht?
- Wann wird Urlaub gemacht?
- Was wird im Urlaub gemacht?
- Womit wird in Urlaub gefahren?

Diskutiert:

- Massentourismus (organisierte Reise mit vielen anderen),
- selbstgestalteter Urlaub,
- Urlaub mit Fahrrad, Bahn, Auto, Flugzeug . . .,
- Urlaub in Deutschland,
- im Ausland,
- Erholungsurlaub,
- Erlebnisurlaub,
- Urlaub als Erholung,
- Urlaub als Anstrengung.

Stellt zusammen, was ihr am liebsten in den Ferien tun würdet. Vergleicht das mit den Bedürfnissen, die eure Eltern haben.

Dieses Jahr war ich in den Sommerferien mit meinen Eltern in Holland

Zum ersten Mal durfte Peter mit den Eltern in die Ferien. Sonst hatten sie ihn immer bei der Oma abgeliefert.

Schon in den Ferien, wenn er bei der Oma war, grauste ihm davor, daß er Ende August wieder zur Schule mußte. Die andern kamen dann an mit ihren Feriengeschichten. Einer war weiter als der andere weggewesen. Sie konnten nicht aufhören, damit zu prahlen wie weit.

Mit dem Flugzeug war Gabriel in Tunis. 14 Tage lang. Und Karin auf Mallorca. Und Brigitte, die war mit ihren Eltern fast eine ganze Woche lang Auto gefahren, um nach Griechenland zu kommen. Andere waren wenigstens in den Bergen oder an der See gewesen. Wie die angaben! Wie sie ihn so mitleidig betrachtet hatten, ihn und die andern drei, die auch in den Ferien nicht weg waren. Am liebsten hätte er ihnen ins Gesicht gebrüllt: „Seid still, seid bloß endlich still und laßt mich in Frieden."

Was war denn bei ihm in den Ferien schon groß losgewesen? Sollte er ihnen von Omas Garten erzählen? Oder dem Freibad in der Reuterstraße?

Dieses Mal hatte er mitreden können. Holland war zwar nicht so weit. Aber noch keiner von den anderen war dort gewesen, wie sich herausstellte. **8**

„Erst wenn man so richtig im Stau steckt, hat man das Gefühl: jetzt ist Urlaub."

Fast alle Menschen in der Bundesrepublik haben heute so viel freie Zeit, daß sie überlegen müssen, wie sie sie sinnvoll nutzen.
Trotzdem ist vielen Menschen diese Zeit noch zu kurz.
Andere Menschen, die z.B. arbeitslos oder Frührentner sind, leiden unter zu viel freier Zeit.

A Jeder schreibt – ohne Namen – auf, was er in der Freizeit und im Urlaub für sinnvoll und für unsinnig hält. Auf einen anderen Zettel schreibt jeder – auch ohne Namen –, was seine Eltern oder andere Erwachsene für sinnvoll oder unsinnig halten. Wertet aus:
Was wollen Eltern, was Kinder? Bezieht auch die Ausgaben (vgl. Material) in die Diskussion mit ein.

Diskutiert die Arbeitsergebnisse
- mit den Eltern,
- im Reisebüro,
- mit den Lehrern anderer Fächer.

Was Menschen so in der Freizeit tun:

Bücher lesen, Zeitung lesen, Fernsehen, Radio hören, Kassette/Platte hören, Video-Aufnahmen machen, Fotografieren, Sport treiben, Handarbeiten, Basteln, Briefmarken, Zuckerstücke, Bierdeckel, Antiquitäten … sammeln, Tiere halten und züchten, Gartenarbeit, mit anderen zusammensein, Spielen, Theater, Kino, Konzert, Disco besuchen, bei Pfadfindern, im Roten Kreuz, in der Kirche, bei der Feuerwehr mitarbeiten, Radfahren, Wandern …

„Wer keine Bücher liest, bleibt dumm."

„Kinder gehören an die frische Luft."

„Singen und Spielen gehört zur Kindheit."

„Fernsehen schadet nur."

„Wer heute nicht fernsieht, kann nicht mehr mitreden."

„Wer sein Fahrrad nicht reparieren kann, ist kein Junge."

„Mädchen müssen stricken können."

„Sport steigert Ehrgeiz und Disziplin."

„Beim Sport ist das Mitmachen das Wichtigste."

„Das Volk gestaltet seine Mußestunden und Feiertage nach seinem Geschmack. Da gibt es zwei Möglichkeiten . . ."

Nach der Beschäftigung mit diesem Kapitel solltet ihr erkannt haben, daß Menschen freie Zeit brauchen.

Ihr solltet wissen, daß Arbeit in der freien Zeit im Roten Kreuz, in Kirchen, in Parteien, Vereinen . . . für unser Leben sehr wichtig ist.
Ihr solltet Überlegungen darüber anstellen, was für euch und was für andere in der freien Zeit wichtig ist.

Stellt zusammen:

- Freie Zeit früher – freie Zeit heute: . . .
- Freie Zeit bei uns – freie Zeit in anderen Ländern: . . .
- Schäden, die durch vermehrte Freizeit entstehen: . . .
- Arbeiten, die in allen Familien in der Freizeit getan werden müssen: . . .
- Menschen, die in der Freizeit für andere arbeiten: . . .

9. Arbeiten, Verbrauchen, Bezahlen

Menschen arbeiten an vielen Plätzen. Es gibt sehr unterschiedliche Arbeit.
Welche Arten von Arbeit kennt ihr?
Welchen Beruf wollt ihr vielleicht einmal ausüben? Warum?
Welche Ausbildung braucht ihr dazu?

In der Regel wird gearbeitet, um Geld zu verdienen. Wie kann man noch zu Geld kommen?

In jedem Haushalt wird Geld ausgegeben. Welche Ausgaben eurer Familie sind notwendig, welche nicht? Was gebt ihr aus? Sind alle Einkünfte sinnvoll?
Laßt ihr euch bei euren Einkäufen von Werbung beeinflussen?
Was läßt sich mit Geld nicht kaufen?
Wozu dient eigentlich Geld?
Was kann man damit machen, wenn man es nicht ausgeben will?

Ziele der Arbeit: Ihr solltet
- über einige Berufe, die Ausbildung dazu, die Arbeiten und Belastungen etwas wissen,
- einige Betriebe in eurer Umgebung kennen,
- etwas über Geld und Ausgaben erfahren haben und
- die Notwendigkeit und Gefahren von Werbung beurteilen können.

A Stellt zusammen, was ihr über Arbeitsplätze wißt:
- Wo gibt es Arbeit?
- Welche Arbeit gibt es dort?
- Was ist dabei zu tun?

Aber auch:
- Was wißt ihr über die Arbeit der Eltern?
- Was macht ihnen Freude?
- Was strengt sie bei ihrer Arbeit an?

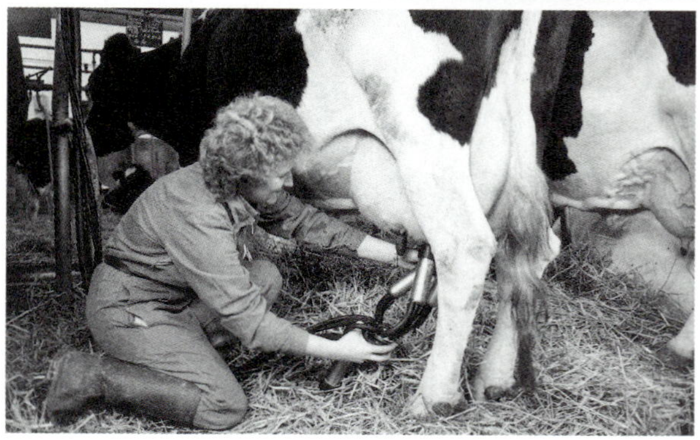

H Arbeit findet heute oft „versteckt“ statt. Menschen „verschwinden“ zur Arbeit in einer Fabrik oder einem Bürohaus. Deshalb sind euch manche Arten von Arbeit zum Teil unbekannt. Vielleicht stellt ihr zunächst zusammen, welche Berufe ihr kennt, weil ihr sie sehen könnt, wie z.B. Busfahrerin, Bauarbeiter, Verkäufer. Vielleicht könnt ihr auch über die Arbeit der Eltern etwas erzählen.
Danach fragt nach anderen Bereichen von Arbeit, über die ihr etwas wissen wollt. Das können Berufe sein, die sich nicht beobachten lassen, aber auch Teile von euch bekannten Berufen, die ihr nicht beobachten könnt, z.B. Arbeiten von Verkäuferinnen außerhalb des Verkaufsraumes/ Ladens.

Das Sammeln von Fragen zu Berufen kann auch in Gruppen erfolgen. Anschließend ist es günstig, wenn die Klasse gemeinsam darüber spricht.

A Ordnet die Berufe, die ihr auf den Bildern seht und ergänzt. Mögliche Ordnungen:
- ○ Berufe in der Urproduktion (Gewinnung von Rohstoffen),
- ○ Berufe in der Verarbeitung (Herstellung, Bearbeitung, Montage, Bau ...),
- ○ Berufe im Dienstleistungsbereich (Kauf/Verkauf, Transport, Heilen, Verwalten, Lehren ...).

Informiert euch zu den einzelnen Berufen über:
- ○ Ausbildung,
- ○ Verdienst,
- ○ Gefahren,
- ○ Belastungen ...

A Es gibt sehr unterschiedliche Arbeitsplätze.
Untersucht Berufe und fragt:

- ○ Welche Voraussetzungen braucht man?
- ○ Welche Verantwortung ist zu tragen?
- ○ Wird die Gesundheit angegriffen?
- ○ Wie hoch sind Lohn/Gehalt?
- ○ Besteht Kontakt zu Kolleginnen und Kollegen?
- ○ Treten Gefahren auf?
- ○ Wäret ihr bei dieser Arbeit zufrieden?
- ○ Möchtet ihr sie später einmal leisten?

Versucht einen Fragebogen zu entwickeln, mit dem ihr Frauen und Männer über ihre Arbeit befragen könnt. (Beispiel S. 97)

Erkundet einen oder zwei Arbeitsplätze – beobachtet nicht nur, stellt nicht nur Fragen, sondern laßt euch vor allem auch erzählen.

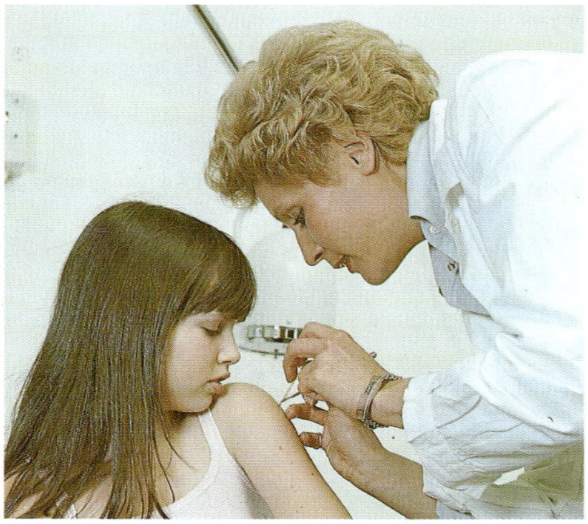

Fragebogen zu Arbeitsplätzen

Seit wann arbeiten Sie an diesem Platz?
Benötigen Sie eine besondere Ausbildung?
Was ist besonders anstrengend an dieser Arbeit?
Wie fühlen Sie sich am Abend nach der Arbeit?
Gibt es Berufskrankheiten?
Verdienen Sie im Vergleich zu anderen Arbeitern hier gut, mittelmäßig oder weniger gut?
Können Sie mit Kolleginnen und Kollegen sprechen?
Würden Sie diesen Beruf noch einmal ergreifen?

A Sprecht auch über die Berufe auf den Bildern:
○ Zeigen sie Arbeitsplätze für Männer und Frauen?
○ Wißt ihr alles, was zu diesen Berufen gehört?
○ Was müßt ihr erfragen?

H Ein Tip: Ihr habt täglich mit Menschen aus vielen Berufen zu tun. Ihr könnt auch deren Arbeitsplatz erkunden. Denkt an Lehrerinnen und Lehrer, Hausmeister, Busfahrer, Hausfrau, Postbotin . . .
Vor allem: Fragt Vater und Mutter nach ihrer Arbeit. Fragt danach, was sie arbeiten, wie sie arbeiten.

A Fragt eure Eltern,
- was sie an ihrer Arbeit besonders anstrengt,
- was bei der Arbeit Spaß macht,
- was sie sich für Arbeit und Feierabend wünschen,
- wie sie den Feierabend am liebsten verbringen.

Besprecht mit euren Eltern,
- was sie abends am liebsten tun,
- was sie von anderen, z.B. auch von euch, erwarten,
- was sie nicht wünschen.

15 Minuten aus dem Arbeitsalltag einer Sekretärin:

10.00	Einspannen eines Bogens in die Schreibmaschine. Vorbereitung zum Schreiben einer schwierigen Tabelle
10.01	Anruf. Ausmachen eines Termins für ein wichtiges Gespräch, dabei Rückfrage an den Chef
10.04	Einrichtung der Tabelle
10.05	Assistent des Chefs sucht wichtigen Brief. Heraussuchen des Briefes aus den Akten. Einfügen eines Blattes, wohin der Brief gegeben wurde.
10.09	Nach Zurechtfinden in der Vorlage Beginn des Schreibens der Tabelle
10.10	Rückfrage, ob Büromaterial zu bestellen sei. Überprüfen der Vorräte. Bestellung von 500 Blatt Schreibmaschinenpapier auf einem Vordruck
10.13	Weiterschreiben an der Tabelle
10.14	Mitarbeiterin fragt nach Urlaubsscheinen . . .

__I__ Arbeit strengt an, auch wenn sie gern getan wird. Nach der Arbeit wollen die meisten Menschen entspannen. Das kann sehr unterschiedlich geschehen:
- *Wer bei der Arbeit sitzen mußte, will vielleicht Sport treiben.*
- *Wer allein arbeitet, sucht oft Kontakt zu anderen Menschen.*
- *Wer starke Unruhe im Beruf hat, liebt meist Ruhe . . .*

H Wenn ihr von einigen Eltern etwas erfahren habt, besprecht:
- Auswirkungen der Arbeit auf die Familie,
- Möglichkeiten der Kinder, die arbeitenden Eltern zu verstehen und zu unterstützen.

Wichtig ist aber auch zu klären,
- wann ihr den Eltern die Schularbeiten zeigt,
- wie und wann ihr den Eltern angenehme oder unangenehme Nachrichten mitteilt. . .

H Nicht alle Eltern möchten, daß die Kinder oder andere Schüler etwas über ihre Arbeit erfahren. Fragt sie deshalb, was sie erzählen wollen und was ihr weiter berichten dürft.
Die Bilder zu Arbeit und Freizeit auf dieser Doppelseite geben auch eine Hilfe. Versucht sie zuzuordnen.

A Was soll durch die Bilderreihe rechts gezeigt werden? Ist das Ernst oder ein Scherz? Kennt ihr Beispiele dazu.

I *Wir müssen Betriebe und die darin ausgeübten Berufe unterscheiden.*

Es gibt sehr unterschiedliche Betriebe:
Fabriken, in denen z.B. Autos hergestellt werden,
Handwerksbetriebe von Friseuren, Installateuren, Schreinern, Schlossern,
landwirtschaftliche Betriebe, in denen z.B. Rinder oder Schweine gehalten und Weizen und Mais angebaut werden.
Hotels, z.B. mit Übernachtungszimmern, Restaurant und Bar,
Arztpraxen, z.B. für Kinderkrankheiten,
Geschäfte für Kleidung, Elektroartikel, Spielwaren,
Verwaltung von Banken, Versicherungen, Supermärkten.

Während der Bauer und die Bäuerin oft allein in ihrem Betrieb arbeiten und daher zugleich Tierpfleger, Melker, Kaufmann, Mechaniker, Fahrer landwirtschaftlicher Maschinen sind, gibt es in großen Betrieben Arbeiter und Arbeiterinnen und Angestellte als Pförtner, Direktoren, Wissenschaftlerinnen, Buchhalterinnen, Sekretärinnen, Ingenieure, Gestalterinnen, Kaufleute, Reinigungskräfte ...

A Welche Betriebe befinden sich in eurer Nähe?
Achtet dabei auf Schilder, weil sich dahinter meist Arbeitsstätten verbergen.
Was wird dort gearbeitet, hergestellt oder angeboten? Welche Berufe werden dort ausgeübt?

Ihr könnt Fragen zusammenstellen und euch in den Betrieben umhören, z.B. wieviele Menschen dort arbeiten, was sie produzieren, welche Dienstleistungen sie anbieten, ob es Ausbildungsplätze gibt, welche Kenntnisse, welches Können die Beschäftigten brauchen, welche Techniken dort angewandt werden.

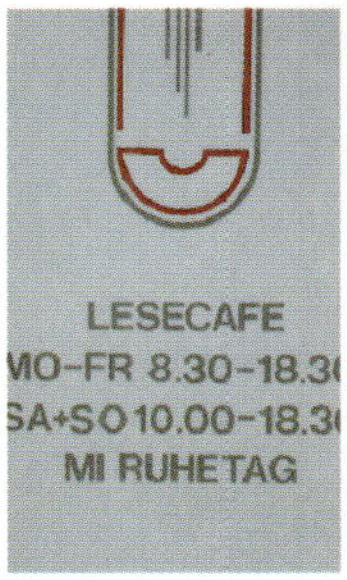

H Erwerbsarbeit dient dazu, Geld zu verdienen. Was aber ist Geld? Wofür wird es ausgegeben? Wie wird mit Werbung versucht, zu Geldausgaben zu verführen? Dazu könnt ihr die Seiten 108–110 bearbeiten.

A Ihr könnt versuchen, die Preise für Waren und Dienstleistungen zu erfahren, die in einer Familie notwendig sind. Anhaltspunkte können die Angaben auf dieser Seite geben.
Stellt z.B. zusammen:
- ○ Kosten für Frühstück oder Mittagessen
- ○ Kosten für Ernährung früher/heute . . .

Haushalts-Ausstattung (1987)

Art	Anteil in % aller Haushalte*	Art	Anteil in % aller Haushalte*
Telefon	97	Kühlschrank	81
Waschmaschine	98	Kaffeemaschine	85
Farbfernseher	91	Heimcomputer	18
PKW	95	Elektrogrill	46
Geschirrspüler	47	Fahrrad	97
Videogerät	32	Bügelautomat	16
Stereogerät	60	Nähmaschine	76
Staubsauger	99	Gefriergerät	76
Photoapparat	98		

* Arbeitnehmerhaushalte mit mittlerem Einkommen **1**

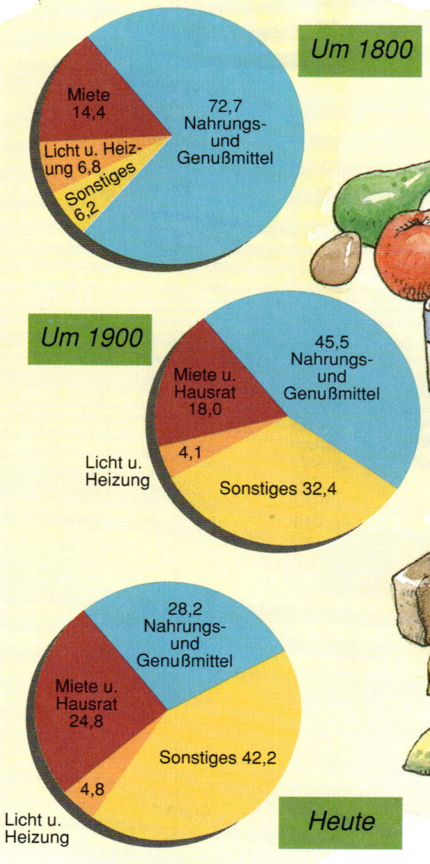

Monatliche Ausgaben für den privaten Verbrauch 1988

Ausgabenposten	Familie (2 Kinder, mittleres Einkommen) DM
Privater Verbrauch insgesamt	3066
davon:	
Nahrungs- und Genußmittel	748
Wohnungsmieten	605
Elektrizität, Gas, Brennstoffe	192
Kleidung, Schuhe	270
Verkehr, Nachrichtenübermittlung	497
Bildung u. Unterhaltung	315
Übr. Güter u. Dienstleistungen für den privaten Verbrauch	439

2

I *Menschen, die zusammenwohnen, bilden einen Haushalt. Jeder Haushalt hat regelmäßig Ausgaben für Wohnen, Heizen, Essen, Kleidung, Freizeit, Telefon, Zeitung . . .*

A Welches Geld bekommen Kinder manchmal neben dem Taschengeld? Besteht für euch ein Unterschied beim Ausgeben von
- ○ Taschengeld,
- ○ zum Geburtstag geschenktem Geld,
- ○ verdientem Geld?

Stellt die Preise von Gütern zusammen, die ihr vom Taschengeld kauft, vergleicht, was der eine und die andere mit dem Taschengeld kaufen müssen (Schulhefte, Friseur, Kleidung ...). Führt einmal Buch über eure Ausgaben. Dann diskutiert.

Was ihr in den Gesprächen herausbekommt, solltet ihr mit den Eltern besprechen.

Taschengeld: Mai

Einnahmen / Ausgaben

1.5.	Bestand: 12,50 DM	
1.5.	T-Geld Mai: 30,- DM	
3.5.	Comic	4,00 DM
5.5.	Fahrgeld	1,20 DM
5.5.	Schallplatte	7,50 DM
10.5.	Eis	1,50 DM
12.5.	Blumen	4,90 DM
18.5.	Hefte, Kugelschreiber	7,80 DM
22.5.	Schokolade	1,20 DM
28.5.	Kino	7,50 DM
	42,50 DM	35,60 DM

Bestand: 6,90 DM

H Auch wenn Kinder einen Anspruch auf Taschengeld haben, sind die Beträge, die sie bekommen, sehr verschieden, weil
- ○ die Eltern unterschiedlich viel Geld haben,
- ○ manche Eltern es für besser halten, wenn die Kinder viel Taschengeld bekommen, andere weniger für sinnvoll halten,
- ○ die Kinder viel oder wenig vom Taschengeld kaufen müssen ...

Deshalb: Vorsicht bei Vergleichen.

A Versucht zusammenzustellen, welche Ausgaben unbedingt nötig sind, auf welche man evtl. verzichten könnte.

__I__ Kinder unter sieben Jahre sind noch nicht geschäftsfähig (dürfen nicht selbständig Geschäfte/Käufe vornehmen). Kinder und Jugendliche zwischen dem siebenten und dem achtzehnten Lebensjahr sind beschränkt geschäftsfähig. Sie dürfen für Taschengeld selbständig einkaufen. Der Kauf ist aber nur gültig, wenn der Preis nicht höher als das übliche Taschengeld ist, nur einen Vorteil bringt und keine weiteren Kosten (Ratenzahlungen, Steuern, Versicherungen) verursacht werden.

Sonst ist die Zustimmung der gesetzlichen Vertreter (in der Regel der Eltern) notwendig. Erst mit 18 Jahren können alle Geschäfte abgeschlossen werden.

A Besprecht den Fall von Hubertus Pasch. Spielt oder denkt euch weitere Fälle aus, z.B. daß das Geld abgeschafft wird, oder daß jeder verschiedenes produziert in einer Gesellschaft, in der es kein Geld gibt.

Handel ohne Geld kommt aber auch bei euch noch vor. Gibt es in der Klasse den Tausch von Bleistift gegen Radiergummi, Bilder gegen Süßigkeiten . . .? Sicher ist bei euch noch kein Tausch eines Fahrrades gegen ein Kaugummi vorgekommen. Warum nicht?

Hubertus Pasch, ein junger Jäger, hat im Wald ein Wildschwein erlegt. Er transportiert das getötete Tier auf einem Handkarren in sein Heimatdorf. Unterwegs begegnet ihm Agnes, ein schönes Mädchen, die ein buntbesticktes Umhängetuch um die Schulter gelegt hat. Hubertus hätte gern das Tuch und fragt Agnes, ob sie das Tuch gegen das Wildschwein tauschen möchte. Agnes ist bereit, das Tuch wegzugeben, jedoch nicht gegen ein Wildschwein, sondern nur gegen einen Sonnenschirm. Hubertus bittet sie, ein bißchen zu warten, um sein Schwein gegen einen Sonnenschirm zu tauschen. Er rennt zum Schirmmacher. Der aber braucht kein Schwein, sondern Werkzeug. Also geht Hubertus zum Schmied. Der aber braucht Schuhe. Schnell eilt Pasch zum Schuster. Der jedoch will Mehl. Atemlos rast Hubertus zum Müller. Der ist einverstanden, das Wildschwein zu nehmen. So eilt unser Jäger zurück und teilt dem Schuster, dem Schmied, dem Schirmmacher mit, daß der Tausch klappt. Atemlos aber glücklich kommt er zu dem Baumstumpf, auf dem Agnes auf ihn warten wollte. Aber das Mädchen ist weg.

***I** Den Tausch von einem Gut gegen ein anderes nennen wir Naturaltausch. Praktischer ist es, wenn ein „vermittelndes" Gut, ein allgemein anerkanntes Tauschmittel dazwischen ist, nämlich das Geld.*

Gold und Silber wurden schon sehr früh als Geld benutzt. Diese edlen Metalle waren knapp und schön. Daher galten sie als wertvoll. Jeder wollte sie besitzen. So konnte man gegen Gold oder Silber Waren tauschen. Oft wurden aus Gold oder Silber Münzen geprägt, also Münzgeld geschaffen.

Die Goldschmiede in Florenz, London und anderswo nahmen Gold und Silber in Verwahrung und stellten darüber Quittungen aus. Der Besitzer solcher Quittungen konnte diese Scheine auch direkt zum Kauf benutzen. So entstand das erste Papiergeld.

In manchen anderen Teilen der Welt benutzte man nicht Gold oder Silber als Geld, sondern andere Sachen wie Muscheln, Perlen oder dergleichen. Auch sie waren selten und für die Menschen z. B. als Schmuck besonders wertvoll. Vor allem war wichtig, daß alle Leute diese Sachen als Tauschmittel anerkannten.

Nach dem 2. Weltkrieg, als die Reichsmark (das staatliche Geld) nur noch wenig Wert hatte, wurden zum Teil Zigaretten als Tauschmittel benutzt.

A Ihr könnt den Text zur Geschichte des Geldes lesen und darüber sprechen. Überlegt, wer darüber entscheidet, was Geld ist. Dazu könnt ihr euch Banknoten ansehen.

H Ihr könnt auch Material von Banken/Sparkassen besorgen, besprechen und bearbeiten. Die Angestellten von Banken geben gerne weitere Auskünfte. Fragt sie.

A Man kann auf viele Arten zu Geld kommen. Dazu ein Spielvorschlag: Eine Familie plant eine Reise, die etwa 4000 Mark kosten wird. Auf dem Sparbuch befinden sich 2000 Mark, die restlichen 2000 Mark sollen im Laufe eines knappen Jahres beschafft werden.
Überlegungen in der Familie: Die Mutter hat eine Ausbildung als Architektin und arbeitet zur Zeit nicht. Im Betrieb des Vaters ist im Augenblick viel zu tun. Die Kinder haben Fahrräder, die sie nicht mehr brauchen. Auch mit der elektrischen Eisenbahn spielen sie nicht mehr. Auf der Bank hat man den Eltern ein Angebot gemacht, Geld zu bekommen.

Stichworte: Sparen, Verkaufen, Arbeiten, Kredit

H Die Vorbereitung des Spiels kann in Gruppen erfolgen. Die Ideen, die dort entwickelt wurden, lassen sich in Rollenspielen vorstellen.

A Ihr seht weiter rechts Bilder von vielen Gütern. Ihr könnt euch 7 davon aussuchen.
Jeder trifft für sich eine Auswahl. Vergleicht miteinander und begründet, warum ihr diese Auswahl getroffen habt. Danach könnt ihr feststellen, daß Geld nicht nur ein Tauschmittel ist.

Gold und Edelsteine, Silber und Muscheln sind schon als Geld verwendet worden, nicht jedoch Erdbeeren oder Pflaumen. Auch dies hat einen Grund. Welchen?

I *Geld ist nicht nur Tauschmittel, sondern dient auch dem Wertvergleich und zur Wertaufbewahrung.*

AIR
Boarding Card
Ticket
reisen
NINE
12
SIX
HH XE 21
GOLD
1000g
°C

A Schreibt auf, was ihr haben möchtet. Schreibt dahinter, was es kostet. Versucht auch Wünsche zu finden, die nicht mit Geld zu bezahlen sind.

Sammelt Werbeanzeigen aus Zeitungen oder Zeitschriften, schreibt Werbespots aus Rundfunk und Fernsehen auf.

Wo liegt das Problem bei der Werbung? Dazu könntet ihr die gesammelten Werbeanzeigen vergleichen. Es empfiehlt sich, dabei nach ganz verschiedenen Gesichtspunkten zu ordnen, z. B. Werbung mit schöner Landschaft, mit Männern und Frauen, für Waren, Dienste ...

Überlegt auch, wofür nicht geworben wird.

Werbung ist teuer.
Wozu wird geworben?

Weitere Anregungen:
Versucht einmal, die Unterschriften von Werbeanzeigen zu vertauschen.
Vergleicht Produkte, z. B. Schuhe, denen in der Werbung besondere Eigenschaften zugesprochen werden, mit anderen, für die gerade nicht geworben wird.
Vergleicht, welche Personen in welcher Rolle in der Werbung auftreten: Männer, Frauen, Kinder.
Untersucht die Worte und Bilder, die in der Werbung verwendet werden. Was benutzt die Werbung zur „Verführung"?
Entwerft einmal eigene Werbetexte und probiert aus, was „ankommt".

Wo wird überall geworben?	**Wieviele erreicht die Werbung?**
Fernsehen	Fernsehen 70%
Außen an öffentl. Verkehrsmitteln	Verkehrsmittel außen 62%
Plakate	Plakat 61%
Tageszeitung	Tageszeitung 54%
Zeitschriften, Illustrierte	Illustrierte 43%
Hörfunk	Hörfunk 39%
Werbung per Post	Werbung per Post 34%
Schaufenster	Schaufenster 32%
Innen in öffentl. Verkehrsmitteln	Verkehrsmittel innen 26%
Kino	Kino 14% **3**

Etwa zwei Drittel des Zeitungsumsatzes stammen aus dem Anzeigengeschäft, nur ein Drittel aus dem Vertrieb.

Was kostet Werbung an Bussen und Zügen?

Fahrzeugtyp Gelenkbus

Miete je Wagen und Monat	entweder Folien je Wagen circa	oder Bemalung je Wagen circa
von DM 320,- bis DM 780,-	Anbringung DM 300,-	Bemalung DM 1800,-
∅ DM 550,-	Entfernung DM 300,-	Neutralisierung DM 800,-

S-Bahn- und U-Bahnzüge mit je 3 bzw. 2 Wagen

Miete	Folien	Bemalung
S-Bahn DM 750,-	Anbringung DM 430,- Entfernung DM 480,-	Bemalung DM 3000,- Neutralisier. DM 3000,-
U-Bahn von DM 160,- bis DM 250,-	Anbringung DM 400,- Entfernung DM 400,-	entfällt

4

Was kostet ein Werbespot von 15 Sekunden im Fernsehen?

Werbefernsehen im Hessischen Fernsehen vor 8 im Ersten

	Jan.–Juni	Juli/Aug.
15 Sek.	DM 4590,-	DM 4245,-

ZDF-Werbefernsehen

	Jan./Juni	Juli/Aug.
15 Sek.	34 900,-	31 700,-

Diese Kosten galten 1988 für die Ausstrahlung von Werbespots. Der Auftraggeber muß außerdem die Herstellung der Filme/Bänder ... bezahlen.

A Die obere Bilderreihe auf dieser Seite zeigt Werbung. Ihr könnt weitere Beispiele zufügen. Die untere Bilderreihe zeigt, wie Werbeaufnahmen gemacht werden. Was geschieht jeweils?

Ein amerikanischer Unternehmer soll einmal gesagt haben, er sei zwar sicher, daß die Hälfte seines Werbeetats zum Fenster hinausgeworfen sei, er wisse nur nicht welche.

Otto Graf Lambsdorff

Werbung wieder gefragt

Werbezeiten bei den öffentlich-rechtlichen Fernsehanstalten sind gefragt wie schon lange nicht mehr. Der Bayerische Rundfunk etwa könnte zeitweise fast doppelt so viel Werbespots ausstrahlen, wie in den werktäglich auf 20 Minuten begrenzten Werbeblöcken unterzubringen sind. Das ZDF hat bis zu 50 Prozent mehr Reklamewünsche. Auch bei den anderen Sendern reichen die Reklamezeiten längst nicht aus. 1985 und 1986 war die Nachfrage dagegen rückläufig. Das ZDF etwa oder Radio Bremen hatten deshalb auf die jährlichen Erhöhungen der Werbepreise verzichtet. ARD und ZDF nehmen rund 1,8 Milliarden Mark durch die Werbung ein. Was an Werbespots bei den Öffentlich-Rechtlichen nicht unterzubringen ist, bekommen die Kommerzkanäle Sat 1 und RTL plus. Allein RTL plus rechnet für 1988 mit einer Erhöhung der Werbeeinahmen um 30 Millionen Mark. **5**

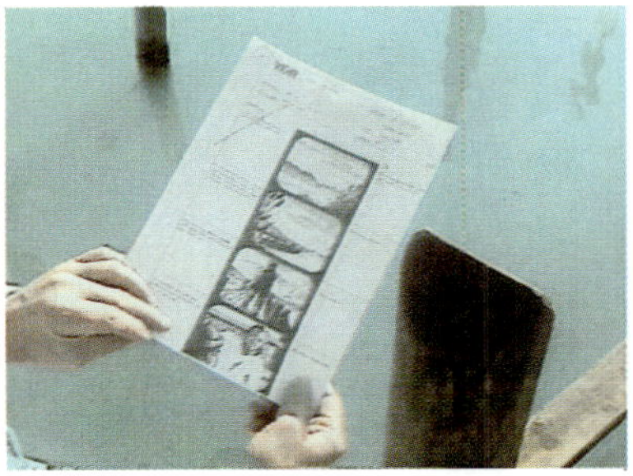

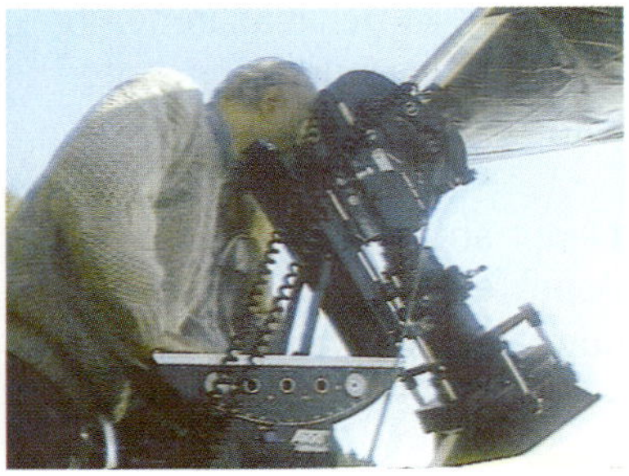

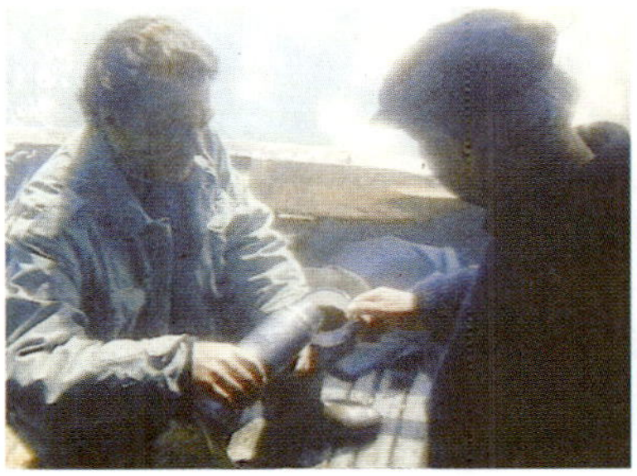

A Schreibt auf, welche Schokolade oder Limonade ihr bevorzugt und begründet dies. Vergleicht die Gründe.

Anschließend könnt ihr Schokolade oder Limonade für einen Test verwenden: Einige Schüler wickeln Schokolade verschiedener Marken in neutrales Papier mit einer Nummer oder füllen unterschiedliche Limonaden in gekennzeichnete Flaschen. Die anderen Schüler sagen zunächst, welche Marke ihnen besonders gut schmeckt. Dann probieren sie und versuchen, „ihre" Schokolade oder „ihr" Lieblingsgetränk herauszufinden. Diskutiert anschließend das Ergebnis.

Wenn ihr euch länger mit Werbung beschäftigt habt, könnt ihr zum Schluß eine Pro- und Kontra-Diskussion veranstalten. Vielleicht ladet ihr die Eltern dazu ein, vielleicht eine Nachbarklasse.

Auch eine Ausstellung „Werbung verkehrt" ist denkbar, in der ihr Werbeslogans und Angebote miteinander vertauscht.

Nennt aber auch die positiven Aspekte der Werbung, die ihr bei eurer Arbeit erkannt habt.

A Verfolgt auf dem Schaubild den Weg der Güter und den Weg des Geldes. Beschreibt, wo der Tausch Geld gegen Güter stattfindet. Überlegt, wohin das Geld geht.
Danach könnt ihr für verschiedene Güter ihren Weg von der Rohstoffgewinnung über die Verarbeitung bis hin zum Verbraucher aufschreiben oder zeichnen und dabei den jeweiligen Tausch Gut gegen Geld festhalten.
Fragt euch:

- Wer bekommt das Geld?
- Wofür erhält er es?
- Wozu wird das Geld gebraucht?
- In welchen neuen „Kreislauf" kommt es?

In der Wirtschaft ist es nötig, daß gekauft und verkauft wird. So fließt Geld in einer Richtung, Güter entgegengesetzt. Für Waren und Dienstleistungen bekommen Betriebe Geld, von dem sie auch die Menschen bezahlen, die bei ihnen arbeiten. Verkauft ein Betrieb immer weniger Waren und stellt deshalb weniger her, dann müssen evtl. Menschen, die dort arbeiten, entlassen werden. Funktioniert der Tauschprozeß gut, so ist das Geld in der Regel wertbeständig. Auch Werbung hält den Tauschprozeß in Gang.

Vergeßt nicht darüber zu sprechen, wie ihr miteinander arbeiten konntet.

Versucht zu unterscheiden: Berufe und Betriebe: . . .

Versucht zusammenzustellen:

Die Voraussetzungen, das Einkommen, die Belastung eines Berufs, den ihr erkundet habt: . . .
Nennt zunächst einen Betrieb und dann Berufe, die in diesem Betrieb ausgeübt werden: . . .
Dann nennt einen Beruf und anschließend Betriebe, in denen dieser Beruf ausgeübt wird: . . .

Güter, die der Mensch unbedingt braucht: . . .

Welche drei Aufgaben hat das Geld? . . .

Wo liegen Vorteile, wo Nachteile und Gefahren der Werbung? . . .
Wie und wodurch wirkt Werbung auf euch? . . .

10. Saubere Luft, sauberes Wasser, gesundes Leben?

Vor etwa 200 Jahren konnten Menschen in fast allen Flüssen baden. Es gab Störche an Teilchen und auf Wiesen. Die Luft war beinahe überall gut, die Wälder gesund.

Tiere fressen Gräser, Früchte oder andere Tiere. Menschen bauen Getreide an und ernten es, halten Tiere, um Fleisch zu gewinnen. So verändern Mensch und Tier die Umwelt.

Heute sind Flüsse, Seen und Meere durch Abwässer aus Industrie, Haushalt und verschiedene andere Rückstände verschmutzt. Trinkwasser wird knapp. Die Luft enthält schädliche Stoffe, z.B. aus Schornsteinen von Industrie und Heizungen, durch Autoabgase. Fast überall stört Lärm. Wir wissen nicht, wohin mit dem Müll.

D.h.: die Umwelt, in der wir leben, ist nicht mehr in Ordnung. Ohne trinkbares Wasser, Luft zum Atmen und Boden, auf dem etwas wächst, können weder Mensch noch Tier leben. Umweltschutz ist Aufgabe aller.

Ziele der Arbeit: Am Ende solltet ihr etwas darüber wissen, wie jeder – auch ihr – die Umwelt erhalten könnt.
Ihr sollt Ursachen der Umweltbelastung nennen können und einsehen, wie schwierig Lösungen sind, die alle Interessen berücksichtigen.

A Beobachtet das Umweltverhalten von euch und anderen:
- Welche Abfälle fallen an? Wo kommen sie hin?
- Was wird in den Ausguß oder die Toilette gekippt?
- Was geschieht mit Farbenresten und verbrauchten Batterien?
- Wo geht das Altpapier hin?

...

Zusammensetzung des Hausmülls:

22%	Papier, Pappe
15%	Glas
7%	Plastik
5%	Metall
11%	Feinmüll
30%	Organische Abfälle
5%	Giftiger Müll
5%	Sonstiges

A Überlegt:
Was könnt ihr tun, was eure Eltern?
Was ist Aufgabe von Politikern?

A Listet auf, was bei euch zu Hause täglich in den Abfalleimer kommt. Gehört alles da hin? Was könnte wieder verwendet werden? Was dürfte erst gar nicht ins Haus kommen?

Ihr könnt Versuche mit Spülmitteln machen:
Füllt ein Glas „bis über den Rand" mit Wasser. Gebt einen Tropfen Spülmittel zu. Beobachtet, beschreibt, zieht Schlüsse.
Kippt das Wasser aus und versucht wieder, das Glas „bis über den Rand" zu füllen. Beobachtet, zieht Schlüsse.
Reinigt mehrere etwa gleich schmutzige Teller, Tassen ...
Kombiniert miteinander:

- ○ Wasser mit verschiedener Temperatur – beginnt mit kaltem Wasser.
- ○ Verschiedene Spülmittelmengen – beginnt ohne Spülmittel.
- ○ Verschieden starkes Reiben oder Bürsten – beginnt ohne Lappen oder Bürste.
- ○ Verschiedene Zeit – beginnt mit sehr kurzer Spülzeit.

Probiert auch, was z.B. bei angebrannten Töpfen wirkt.
Benutzt auch einmal ein Maschinengeschirrspülmittel und stellt Vergleiche an. Bedenkt: In der Geschirrspülmaschine arbeiten keine Bürsten.

Versucht eine Aussage, welche Geschirrspülmethode die Umwelt am meisten schont.

H Vorsicht bei Versuchen mit Maschinengeschirrspülmittel. Sie können Haut, Schleimhäute, Augen angreifen.

I Die Reinigungswirkung hängt von angewendeter Temperatur, Stärke der mechanischen Einwirkung (Reiben, Bürsten), verwendeter Zeit und dem Einsatz chemischer Mittel ab.

Jede Kombination, die chemische Mittel einspart oder vermeidet, schützt unsere Gewässer.

A Interessant ist es, eure Großeltern oder andere ältere Menschen zu befragen:
Was hat sich seit ihrer Jugend in der Umwelt verändert?
Welche Ursachen vermuten sie?

Ihr könnt alte und neue Bilder aus der gleichen Gegend miteinander vergleichen.

Es gibt Listen von ausgestorbenen oder gefährdeten Pflanzen und Tieren. Fragt eure Biologielehrerin bzw. euren Biologielehrer.

Ihr könnt auch eure Umgebung erkunden. Dazu Vorschläge:
Auf mit Leim bestrichenen Brettern, die ihr an verschiedenen Stellen auslegt, könnt ihr einige Fremdstoffe, die mit der Luft transportiert werden, feststellen. Andere sind nicht sichtbar.

Wasserproben aus Bächen, Flüssen und Seen können miteinander verglichen werden, z.B. dadurch, daß ihr Wasserpflanzen oder Wasserflöhe hineingebt.

Müllkippen bzw. Müllplätze können erkundet werden. Der Müllwart gibt Auskunft. Es kann beobachtet werden, was die anfahrenden Müllaster bringen.

Am Auspuff von Auto oder Moped lassen sich Versuche machen. Die Abgase können in eine Plastiktüte mit Pflanzen geleitet werden. Vergleicht mit Pflanzen an frischer Luft.

H Achtung! Bei Versuchen an Auto oder Moped muß ein Erwachsener anwesend sein.

Wir essen.

Wir bewegen uns fort.

Wir wohnen.

A Schaut euch die Bilderreihe an und stellt zusammen:

- ○ Was belastet die Umwelt, wenn Menschen essen: . . .
- ○ Was belastet die Umwelt, wenn Menschen fahren: . . .
- ○ Was belastet die Umwelt, wenn Menschen wohnen: . . .

Erkundet, was geschieht – und beurteilt die Umweltbelastung:

- ○ Bevor Brot, Kartoffeln, Wurst . . . auf den Tisch kommen, bei der Essenszubereitung, nach dem Essen, durch Abfälle . . .
- ○ Bei der Herstellung von Autos und Benzin, beim Betrieb von Autos, beim Ölwechsel, mit alten Autos, aber auch bei der Bahn, bei Bussen und Flugzeugen . . . Denkt auch an Straßen, Schienen, Flughäfen . . .
- ○ Durch den Bau von Häusern und Straßen, beim Heizen, beim Kochen, mit Abwasser . . .

Schafe fressen Gras und Kräuter, aber auch alle anderen kleinen Pflanzen. So kann dort, wo Schafe weiden, kein Baum wachsen, weil alle Jungbäume mit abgefressen werden. Sie düngen aber durch ihre Ausscheidung den Boden. Eine Wiese, auf der Schafe übernachtet haben, ist für das folgende Jahr gut mit Nährstoffen versorgt.
Fische fressen Pflanzen, Kleinlebewesen oder andere Fische. Sind z.B. in einem See nicht zu viele Hechte, die andere Fische fressen, nicht zu viele Karpfen, die im Schlamm nach Nahrung suchen, so bleibt das Gewässer im Gleichgewicht. Setzt der Mensch Fische ein, z.B. für den Angelsport, so gerät der See durcheinander. Spätestens von da an muß gefüttert werden, was bei einem Natursee unnötig ist.
Vögel ernähren sich von Insekten, Würmern und Kleintieren oder von Pflanzen und deren Früchten. Sie verbreiten dabei z.B. die Samen von Pflanzen, vernichten schädliche Insekten. Ein ausgewogener Bestand an Vögeln hält die Natur im Gleichgewicht.
Menschen bauen Getreide und andere Feldfrüchte an. Bei der Ernte wird der Acker leergeräumt. So wird dem Boden etwas entzogen und muß durch Düngung wiedergegeben werden.
Menschen züchten in den entwickelten Ländern Vieh und nutzen es. Aber auch das Vieh muß gefüttert werden – das Futter wird dem natürlichen Kreislauf der Natur entzogen.

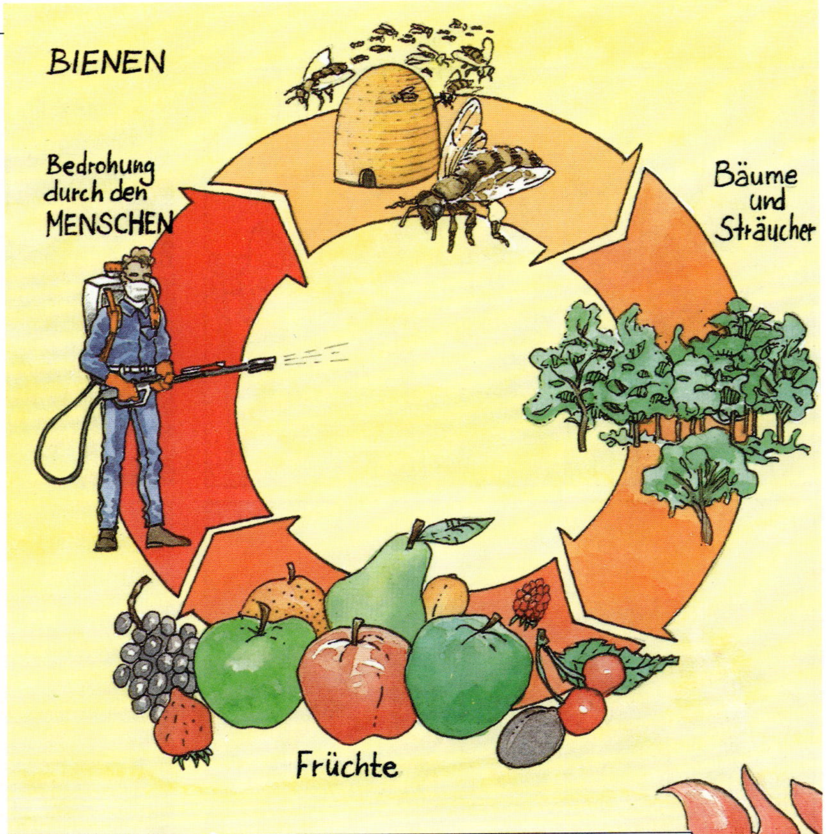

Sind keine oder zu wenig Bienen da, werden die Obstbäume nicht gut befruchtet und es gibt weniger Früchte. Bienen sterben, wenn gegen Schädlinge gespritzt wird. Bienen können auch eingehen, wenn nicht genügend Pflanzen da sind, an denen sie Nahrung finden. Das ist z.B. der Fall, wenn viele ausländische Zierpflanzen angebaut werden, mit denen unsere Bienen nichts anfangen können, wenn nur Zierrasen da ist, keine Wiesen mit Blüten …

Sobald das Gleichgewicht gestört wird, verändert sich die Umwelt. Werden Insekten vernichtet, können weniger insektenfressende Vögel leben. Werden Wiesen trockengelegt, verschwinden Frösche und Feuchtpflanzen, aber auch Kleinlebewesen, die dort lebten. Durch deren Fehlen treten weitere Störungen ein …

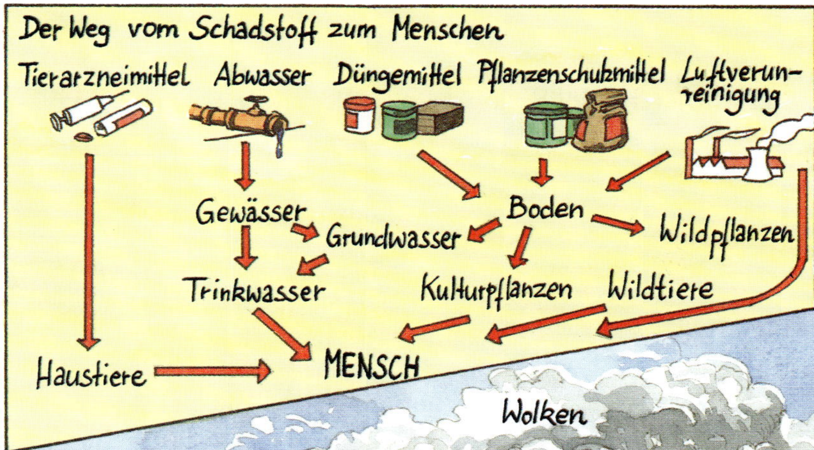

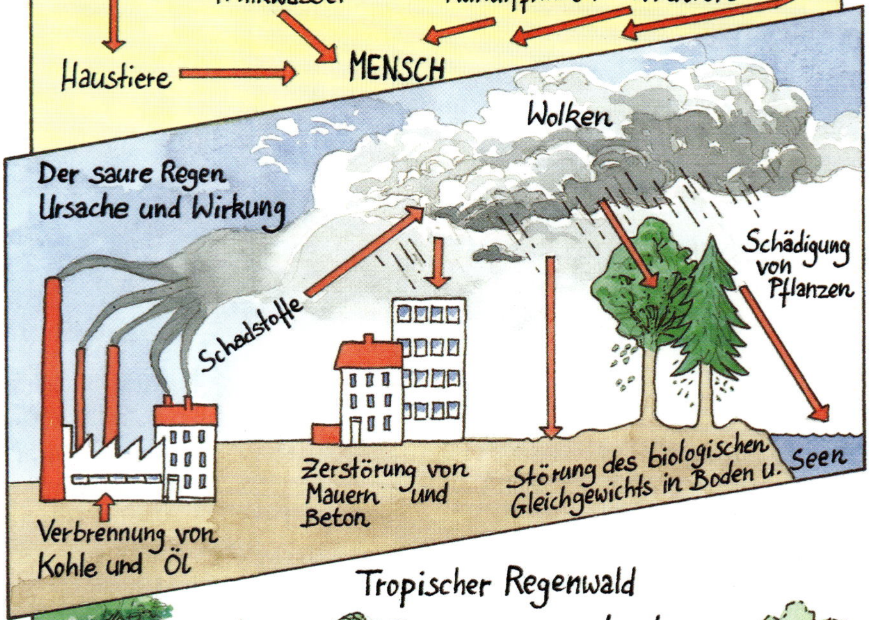

A Ihr könnt – allein oder in kleinen Gruppen – einmal Ketten, Kreisläufe der Natur und Eingriffe darin aufschreiben oder zeichnen.

Einige Anregungen:

○ Bei Nutzung von Pferden zum Reiten und Ziehen fiel überall Pferdemist an . . . Autos hinterlassen keinen derartigen Mist, sondern . . .

○ Einige Schwalbenarten nisten gern in Kuhställen und bauen ihre Nester an den rauhen Wänden. Heute werden Kuhställe mit glatten Wänden aus Fliesen versehen, die Rinder werden gegen Insekten besprüht . . .

○ In natürlicher Erde leben Regenwürmer, Maulwürfe . . . Erde kann durch Düngung und chemische Mittel so verändert werden, daß . . .

○ Kröten wandern im Frühjahr zu bestimmten Gewässern. Straßen liegen dazwischen . . .

○ Fledermäuse überwintern in alten Dachböden oder Höhlen. Dächer werden heute völlig abgedichtet, Höhlen z.B. für den Fremdenverkehr genutzt . . .

Auch für schädliche Stoffe gibt es Ketten. Beispiele sind auf dieser Seite abgebildet.

Andere Möglichkeiten:

○ Schaut euch ein natürliches Bach- oder Flußufer an. Vergleicht es mit einem in Steine oder Beton eingefaßten Gewässer.

○ Vergleicht Wiesen mit alten Obstbäumen mit Obstplantagen und mit großen Grasflächen.

Über die Hälfte der tropischen Regenwälder wurde zerstört, besonders in Ost- und Westafrika, in Südasien. Heute werden die Regenwälder vor allem in Lateinamerika (Südamerika) abgeholzt. Ursachen: Die Menschen möchten das Holz verarbeiten. Die Flächen sollen für Anbau, Straßen oder Erdölförderung genutzt werden.
Pro Sekunde geht etwa die Fläche eines Fußballfeldes an Tropenwäldern verloren.

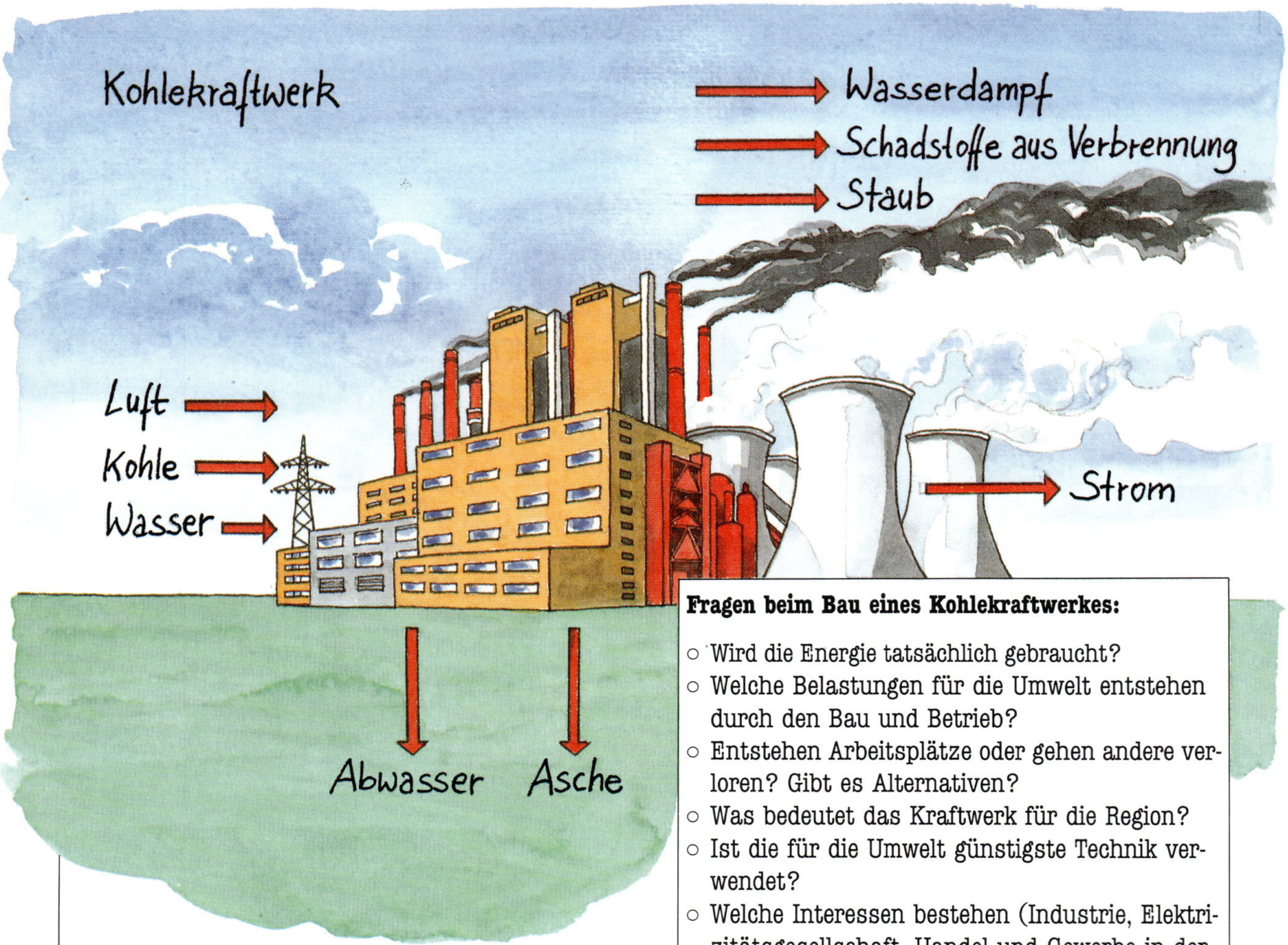

Fragen beim Bau eines Kohlekraftwerkes:

- Wird die Energie tatsächlich gebraucht?
- Welche Belastungen für die Umwelt entstehen durch den Bau und Betrieb?
- Entstehen Arbeitsplätze oder gehen andere verloren? Gibt es Alternativen?
- Was bedeutet das Kraftwerk für die Region?
- Ist die für die Umwelt günstigste Technik verwendet?
- Welche Interessen bestehen (Industrie, Elektrizitätsgesellschaft, Handel und Gewerbe in der Umgebung, Regierung, Bürger ...)?
- Wie sieht es mit der Genehmigung aus? Auf welcher Grundlage beruht sie?
- Werden andere Regionen oder auch das Ausland betroffen?

H Das folgende Spiel ist so ähnlich wie eine Gerichtsverhandlung aufgebaut. Es soll euch helfen, Umweltprobleme im Zusammenhang zu sehen. Untersucht deshalb eine Umweltverschmutzung in eurer Nähe.

Anregungen kann euch das Material geben.

Ölpest auf der Unterelbe
Indonesisches Schiff schlitzte DDR-Frachter auf

AP/dpa. Nach dem Zusammenstoß eines indonesischen Stückgutfrachters mit einem DDR-Kühlschiff ist es am Osterwochenende zu einer schweren Ölpest auf der Unterelbe gekommen.

Die Polizei in Cuxhaven sprach am Montag von einer „großen Katastrophe“ für die Umwelt, da unmittelbar nach der Kollision mindestens 60 Tonnen Schweröl in den Fluß geflossen seien.

Tausende von Seevögeln seien bedroht, verölte Enten, Gänse und Strandvögel lägen bereits sterbend an den Südstränden des Stromes. Zwei Ölbekämpfungsschiffe hätten versucht, den vier Kilometer langen und zum Teil mehrere hundert Meter breiten Ölteppich zu binden.

Schweröl hat etwa dieselbe Dichte wie Wasser und schwimmt auf der Wasseroberfläche.

Zu der Ölpest war es gekommen, nachdem am Karsamstag das indonesische Frachtschiff „Mataram“ bei schlechter Sicht das DDR-Kühlschiff „Heinrich Heine“ gerammt und in der Mitte aufgeschlitzt hatte.

Bei der Kollision wurden zwei Menschen auf dem DDR-Schiff verletzt.

Erst nach Stunden war es gelungen, die beiden ineinander verkeilten Schiffe wieder auseinanderzuziehen. Während die „Mataram“ ihre Fahrt fortsetzen konnte, mußte die „Heinrich Heine“ am Sonntag in einer Reede auf Grund gesetzt werden, weil sie zu kentern drohte. Dann wurde sie nach Angaben der Polizei geleichtert: Außer 250 Kubikmeter Schweröl aus einem intakten wurden auch 20 Tonnen eines Öl-Wasser-Gemisches aus dem aufgeschlitzten Tank abgepumpt. Dann hob ein Schwimmkran den Frachter. Fünf Schlepper begannen in der Nacht zum Montag das Schiff nach Hamburg zu ziehen, wo es repariert werden soll.

Nach Angaben der Polizei in Cuxhaven verschmutzte das Schweröl auch den etwa drei Kilometer langen Uferbereich eines Naturschutzgebietes sowie Wattgebiete. Das Gefieder zahlreicher Seevögel sei auch dort bereits verunreinigt worden, sagte der Sprecher.

Das indonesische Schiff war von See gekommen und wollte nach Hamburg. Das DDR-Schiff war auf der Reise von Rostock nach Kuba, wo es Bananen laden sollte. **1**

A Je zwei oder drei Schülerinnen oder Schüler sind Richter, Ankläger und Beklagte. Die anderen bilden das Publikum.
Die „Ankläger“ klagen den untersuchten Betrieb oder eine Einrichtung wegen Umweltzerstörung oder Umweltgefährdung an.
Diese Gruppe muß alle Vorwürfe, die zu machen sind, sammeln und dem Gericht vortragen. Verklagt wird z.B. eine Chemische Reinigung, die die Umgebung belästigt, ein Transportunternehmer, dessen LKW-Fahrer die Motoren lange im Stand laufen lassen, ein Betrieb, der giftige Abwässer in einen Bach/Fluß leitet . . .

Die „Beklagten“ verteidigen sich. Sie weisen auf Arbeitsplätze, Bedürfnisse anderer . . . hin.

Die „Richter“ leiten die Sitzung, stellen Fragen und sprechen evtl. auch ein Urteil.

Die übrigen bilden das Publikum, machen sich Aufzeichnungen und bewerten hinterher das Auftreten aller und den Urteilsspruch, den die Richter evtl. fällen.

Zur Vorbereitung:
- ○ Untersucht Umweltprobleme, Betriebe in eurer Umgebung.
- ○ Sammelt Artikel über Umweltprobleme – möglichst in eurer Nähe – aus Zeitungen.
- ○ Schaut euch Anzeigen an, in denen auf Umweltprobleme eingegangen wird.
- ○ Geht zu Umweltschutzorganisationen oder schreibt ihnen.
- ○ Sucht nach Warnungen, Hinweisen, Regelungen.
- ○ Interviewt den Fachlehrer oder die Fachlehrerin für Biologie.
- ○ Sprecht mit Angestellten auf Müllkippen, in Klärwerken, aber auch in der Stadtverwaltung.
- ○ Befragt Werkstattleiter, Ingenieure, Facharbeiter, Betriebsräte.

In den letzten Jahren sind die meisten Menschen bei uns umweltbewußter geworden. Das hat viele Firmen dazu veranlaßt, für die Umwelt unschädliche oder weniger schädliche Produkte anzubieten. Manches aber, was als umweltfreundlich bezeichnet wird, ist es nicht.
Es wird nur mit dem Schutz der Umwelt geworben.

Vom Staat (Bund, Länder, aber auch EG) gibt es Regelungen, z. B.
- gesetzliche Verbote (Beispiele: Abbrennen von Wiesen, Benutzung des besonders gefährlichen Insektenvernichtungsmittels DDT . . .),
- Höchstgrenze für Schadstoffe (Beispiel: Autoabgase, Großfeueranlagen . . .),
- . . .

In Europa kümmern sich heute alle Regierungen um Umweltprobleme. Fraglich ist, ob hier schon genug getan wird. Keine Frage ist, daß in manchen Teilen der Welt noch schwerste Umweltschäden geduldet werden.

Für Umweltschutz arbeiten viele Gruppen. Auch die Parteien haben ihn in ihrem Programm.

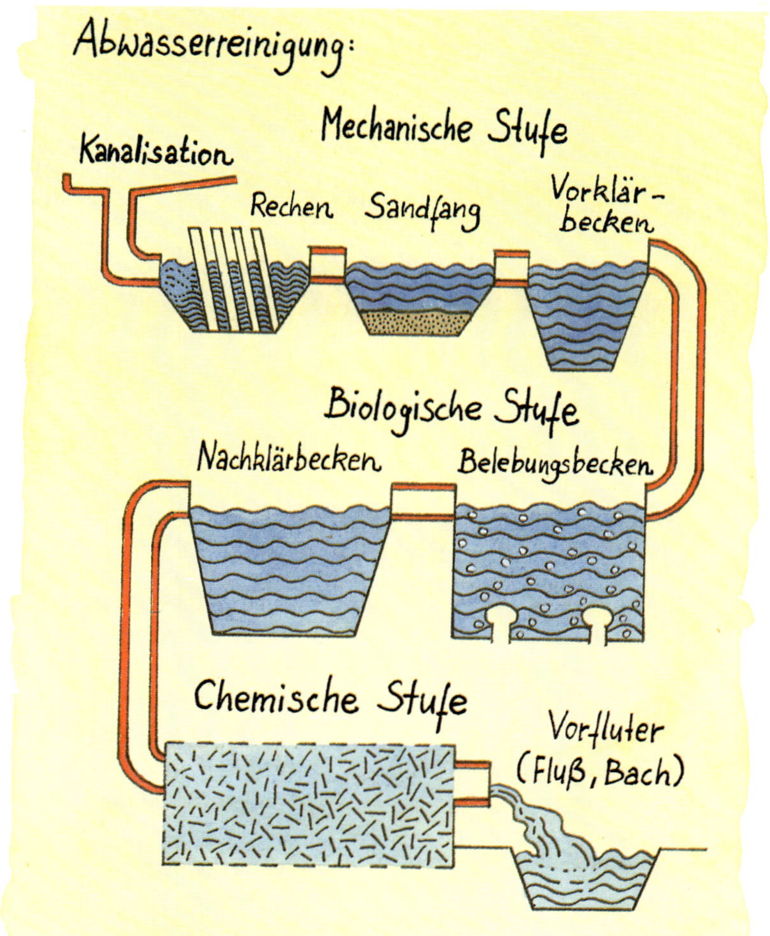

Klärwerk

1. Ein riesiger Rechen fängt das grobe „Kanalgut“ (tote Ratten, Dosen, Lappen . . .) auf.
2. In Becken (Sandfang/Vorklärbecken) sinken Sand und kleine Steine auf den Grund.
3. In zwei weiteren Becken (Belebungsbecken/Nachklärbecken) werden organische Stoffe und Stickstoffe entfernt. Dazu wird in das mechanisch gereinigte Wasser „Belebtschlamm“ (Schlamm mit vielen Bakterien) gegeben. Die Bakterien „fressen“ Rückstände.
4. In einem letzten Becken (chemische Reinigungsstufe) werden dem schon sehr klaren Wasser noch chemische Bestandteile entzogen.

Die Reinigung dauert bis zu 20 Stunden.

A Nun könnt ihr zusammenstellen, was ihr selbst, eure Eltern, die Industrie, der Handel, die Politiker tun können und sollten.

Ihr könnt außerdem
- Material der Verbraucherzentralen verwenden,
- Gebrauchsanweisungen lesen,
- Warnschilder auswerten.

Vielleicht ordnet ihr:
- Was müßte die Hausfrau bzw. der Hausmann beachten?
- Was sollte der Autofahrer bzw. die Autofahrerin machen?
- Welche Forderungen gehen an die Politiker?
- Was sollte in Fabriken beachtet werden?
- Kann der Käufer von Lebensmitteln, Reinigungsmitteln usw. auch etwas bewirken?

Das Material, das ihr erarbeitet habt, interessiert heute viele: Andere Klassen, Eltern, Zeitung . . .

Vielleicht veröffentlicht ihr es – oder Teile daraus – in Merkblättern für verschiedene Gruppen, in einer Wandzeitung . . .

Umweltfreundlich

weil . . . .

Was schädigt die Umwelt?
Wie wirken Schäden?
Wo liegen die Ursachen, welche Folgen treten ein?
Wer ist interessiert, die Umweltschädigung einzustellen?
Wer hat weniger oder kein Interesse daran?

Wenn wieder ein Umweltproblem öffentlich diskutiert wird, versucht die Zusammenhänge, die verschiedenen Meinungen über die Folgen des Umweltproblems und die Argumente zu Lösungsmöglichkeiten aufzulisten. Welche Lösung haltet ihr für die beste?
Warum?

Stellt zusammen:
Wodurch kann jeder von uns die Umwelt gefährden: . . .
Was kann jeder von uns für die Umwelt tun: . . .
Schäden, die schon heute bei uns zu beobachten sind: . . .

Was muß möglichst bald geändert werden?

11. Nicht allen Menschen geht es wie uns

Den Menschen und auch den Kindern in der Bundesrepublik geht es besser als den Menschen in vielen anderen Ländern. In den meisten Ländern Afrikas, Südamerikas und Asiens, den sogenannten Entwicklungsländern, haben viele Menschen nicht genug zu essen, können nicht vernünftig wohnen. Viele dieser Länder waren einmal Kolonien europäischer Staaten. Es gibt dort kaum Industrie, meist schlechte Verkehrsverbindungen, wenige Schulen. Auch die Landwirtschaft ist oft nicht leistungsfähig. So geht es den Menschen viel schlechter als uns.

Ziele der Arbeit: Ihr solltet etwas über die Situation in Entwicklungsländern sagen können, insbesondere auch über die Situation der Kinder dort.
Euch sollte bewußt werden, wie schwierig es ist, zu Lösungen der Probleme zu kommen.

A Im Fernsehen, in der Zeitung und Illustrierten gibt es regelmäßig Berichte aus den Entwicklungsländern, der Dritten Welt. Versucht herauszufinden:
- ○ Was ist anders? Welche Gründe werden dafür vermutet?
- ○ Welche Vorschläge werden gemacht?
- ○ Was äußern die Menschen?
- ○ Gibt es Hilfen für die Menschen, die dort leben?
- ○ Warum gibt es dort zu wenig Medikamente, Ärzte und Krankenhäuser?
- ○ Weshalb müssen die Menschen in diesen Ländern häufig Hunger leiden?
- ○ Wo leben die Menschen?

Im Teufelskreis der Armut

Das Häufchen Mensch, das auf der anderen Straßenseite vor dem Hotel in Accra hockt, sieht aus wie 50. Der Mann ist aber erst 32. Er heißt Friday, Friday ist arm. Deswegen hat er nicht genug zu essen. Er ist unterernährt. Man kann ihm ansehen, daß er schwach ist, sicher auch nicht gesund. Deshalb wird er nicht mal vom Hotelportier zum Koffertragen gerufen. Ohne Arbeit wird Friday immer arm bleiben. Durch die unzureichende Ernährung wird sich seine Gesundheit nicht wieder herstellen lassen ... **1**

In Ländern wie der Bundesrepublik und Frankreich haben Kinder reichlich zu essen.
In anderen Ländern wie der Türkei, Portugal und Süditalien werden nicht alle Kinder immer satt.
Not leiden Kinder z.B. in vielen Ländern Südamerikas.
Hunger herrscht z.B. in Äthiopien und anderen Ländern Afrikas. Davon sind besonders Kinder betroffen.

Die kleine Blume

Allimalar ist 14 Jahre alt. Allimalar ist ein tamilischer Mädchenname. „Kleine Blume" bedeutet er. Ihr Tag beginnt früh um fünf. Es dämmert über den Teehügeln im Hochland von Sri Lanka. Noch ist es kalt, sehr kalt in fast 2000 Metern Höhe. Die Menschen in der Barackensiedlung wickeln sich aus ihren Säkken und zerschlissenen Decken.

Allimalar ist noch jung und kräftig. Zusammen mit den anderen Frauen und Kindern zieht das Mädchen aus, um die zarten Teeblattspitzen zu pflükken. Nur die Knospe und die beiden jüngsten Blätter sind gefragt. Alles andere würde der Aufseher mittags bei der Abgabe der Körbe zurückweisen. Drei solcher Körbe voll, auf dem Rücken getragen, von einem Stirnband gehalten, sind eine gute Tagesleistung. Tageslohn: bestenfalls zehn Rupien, der Preis einer Flasche Bier.

Mit steigender Sonne wird die Hitze lastende Qual. Der Aufseher treibt die Frauen an. Nur an 200 Tagen im Jahr kann gepflückt werden. In der restlichen Zeit aber kommt keine Rupie in die vom Teeblatt geschwärzten Finger der Frauen. Dann muß das Einkommen der Männer reichen, die bei Neupflanzungen und bei der Pflege der alten Sträucher helfen oder in den Teefabriken arbeiten.

Allimalar, die kleine Blume, hat nie eine Schule besucht. Der Weg ist vorgezeichnet. Mit 18 Jahren wird Allimalar heiraten, mit 20 spätestens das erste Kind haben und von Niederkunft (Geburt) zu Niederkunft in den Teebergen schuften. **2**

H Vielleicht schaut ihr euch gemeinsam eine Aufzeichnung eines Berichts aus dem Fernsehen an.

Auch das Material auf dieser Doppelseite soll euch anregen, Vermutungen und Fragen, aber auch Gefühle zu äußern.

Pablo und sein Vater

Jenseits des großen Meeres, hoch oben in den Bergen Südamerikas, lebt Pablo mit seinen Eltern und seinen fünf Geschwistern.
Der Vater mußte seine Felder verkaufen, um die Schulden begleichen zu können. Was blieb ihm anderes übrig, als mit seiner Familie in die Stadt zu ziehen, in der Hoffnung, dort eine Arbeit zu finden?
„Wir werden es als Schuhputzer versuchen", sagte der Vater eines Morgens zu Pablo.
„Ob wir es einmal vor dem weißen Hotel versuchen?", überlegte der Vater. „Dort sollen immer viele Fremde vorbeikommen." Pablo nickte, obwohl er noch nie ein Hotel gesehen hatte.
Da lief plötzlich ein Mann die Treppe hinunter und fuchtelte aufgeregt mit seinen Armen durch die Luft. „Hey! hier habt ihr nichts verloren! Hier putze ich Schuhe. Und sonst keiner!"

Die Mutter weinte, weil sie nicht wußte, wovon sie Mehl und Bohnen für sechs hungrige Kinder kaufen sollte. Pablo versuchte, sie zu trösten. Er würde schon noch eine Arbeit finden.

Tagelang streifte er durch die Straßen der Stadt. Dabei stieß er auf Carlos, Jaime, Alfredo, Pedro und José.

Am nächsten Abend mußte er sich an eine Straßenecke hinstellen. Alfredo hatte ihm gesagt, daß er zweimal pfeifen sollte, wenn jemand die Straße hinaufkommen würde. Dann waren die fünf Jungen in der Dunkelheit verschwunden.
Alles blieb ruhig.
Als sie dann in der Nacht hinter einem verlassenen Lagerhaus hockten und genau aufteilten, was Alfredo in seinem Sack trug, ahnte Pablo, womit er seinen Anteil verdient hatte. Erst wollte er etwas sagen. Doch dann mußte er plötzlich an seine Geschwister, an die weinende Mutter und an Vaters steife Hand denken. Da schwieg er.
Als Pablo am nächsten Tag das Brot und die Fischkonserven vor seinen Geschwistern auspackte, stürzten sie sich gierig auf alles und tanzten um ihn herum. **3**

Unterentwicklung ist oft die Folge der früheren Abhängigkeit dieser Länder als Kolonien. Alte Kulturen wurden zerstört und kaum etwas aufgebaut, wovon die Länder heute leben könnten. Ziel der Kolonialherren war es, Rohstoffe zu gewinnen, die Kolonien und die Arbeitskraft der Bevölkerung auszubeuten und eigene Produkte dort abzusetzen.

Aus den Entwicklungsländern kann nichts oder nur wenig zu einem guten Preis exportiert werden. Es ist keine oder nur wenig Industrie vorhanden. Landwirtschaftliche Produkte für die Ausfuhr lassen sich meist nicht in geeigneter Menge und Qualität herstellen.
So fehlt das Geld, um Industrie und Landwirtschaft zu entwickeln. Dadurch bleiben Steuereinnahmen aus, mit denen Straßen, Schulen, Wasserleitungen usw. gebaut werden könnten. Weil aber keine Industrie, keine guten Straßen, keine Eisenbahnen und kaum technisches Wissen vorhanden sind, haben die Menschen Schwierigkeiten, etwas aufzubauen. So kann auch nur wenig für den Export produziert werden. Manchmal wird auch zu viel exportiert, ohne Rücksicht auf die Menschen und die Natur.
Der ursprüngliche Lebensraum der Menschen ist meist zerstört.
Die Grenzen wurden häufig einfach mit dem Lineal gezogen, so daß Menschen unterschiedlicher Sprache, Religion und Kultur zusammenleben, was oft zu Spannungen, Unzufriedenheit und Kämpfen führt.

Unterschiedliche Interessen der Länder, Stämme oder Gruppen führen häufig zu Auseinandersetzungen. Die Großmächte USA und UdSSR nutzten diese oft für ihre Interessen, um Einfluß zu gewinnen. Auch dies führte zu Unfrieden und Verwicklungen.
Weil in den Entwicklungsländern oft Kämpfe stattfinden, wird das wenige vorhandene Geld häufig für Waffen anstatt für Maschinen, Geräte, Schulen, Straßen, Krankenhäuser und Bewässerungsanlagen ausgegeben.
Dazu kommt, daß Trockenheit oder Überschwemmungen, Hitze, Schädlinge und andere Naturbedingungen das Leben erschweren.

Hunger und ungenügende Hygiene führen oft zu Krankheiten.
Die Menschen haben es dort nicht nur sehr schwer, sie sterben auch früher.

Alle Industriestaaten leisten – unterschiedlich viel und in unterschiedlicher Art – Entwicklungshilfe. Auch die Kirchen und private Organisationen versuchen zu helfen.
In Hungergebiete werden Nahrungsmittel geliefert. Sonst soll die Hilfe – z.B. Geräte, Saatgut, Beratung – den Menschen die Möglichkeit schaffen, künftig ohne fremde Hilfe möglichst gut zu leben.

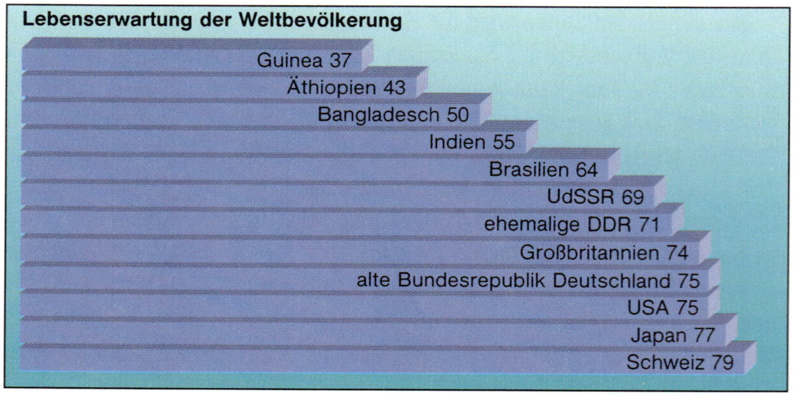

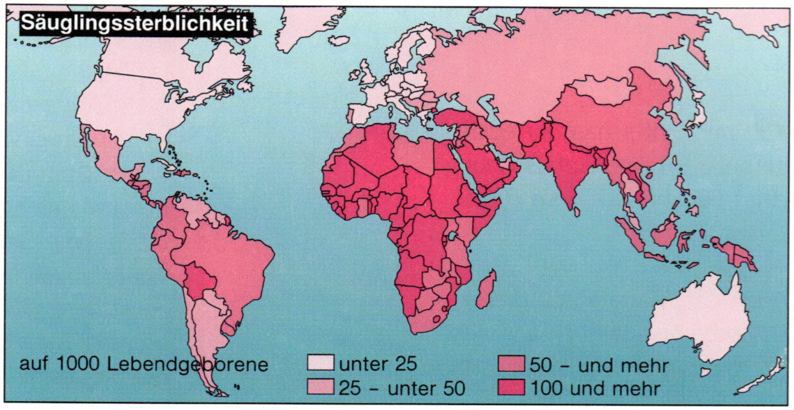

A Vielleicht könnt ihr nach den Informationen, die ihr habt, in einem Spiel herausfinden, wo Probleme der Entwicklungshilfe liegen könnten.

1. Spielvorschlag:
Ein „Ja-Aber"-Spiel. Jemand nennt eine Möglichkeit zu helfen, der andere antwortet mit den Problemen, die dadurch entstehen oder entstehen könnten.

2. Spielvorschlag:
Bildet sechs Gruppen:
Die erste Gruppe sind Bauern, denen es einigermaßen gut geht, die aber keine zusätzlichen Belastungen mehr verkraften können. Sie bauen mit einfachen Geräten geringe Mengen Kuku (Phantasiename, den ihr evtl. durch ein echtes Produkt ersetzen könnt) an.

Die zweite Gruppe sind Menschen ohne Arbeit, ohne Land, die dringend Arbeit und Brot brauchen und bereit sind, alles zu tun, um aus der Not zu kommen.

Die dritte Gruppe sind die ganz wenigen Geschäftsleute in dem Land. Ihnen geht es gut. Sie kaufen Kuku zu möglichst niedrigen Preisen auf, um es zu exportieren.

Die vierte Gruppe ist die Verwaltung/die Regierung, die das Land bei anderen Ländern anerkannt haben will und sich vom Nachbarland bedroht fühlt, in dem besonders viel Kuku produziert wird.

Die fünfte Gruppe sind deutsche Geschäftsleute, die sich in verschiedenen Ländern nach billigem Kuku umschauen.

Die sechste Gruppe – die letzte – ist die Spielleitung. Sie gibt Informationen entweder für alle (z.B. es besteht eine lang anhaltenden Trockenheit, Kuku wird von Schädlingen befallen, das Nachbarland bedroht unser Land . . .) oder für einzelne Gruppen (z.B. den Bauern, daß zu erwarten ist, daß die Preise für Kuku steigen oder fallen, z.B. den Arbeitslosen, daß Arbeit bei den Bauern zu erwarten ist . . .). Zunächst überlegen sich die Gruppen, wo ihre Probleme liegen und versuchen festzustellen, was sie gerne hätten, was sie keinesfalls haben möchten, wo ihre Interessen liegen, was sich ändern müßte.

Sobald eine allgemeine Information gegeben worden ist oder eine Gruppe irgend etwas tut oder ankündigt, beraten alle anderen Gruppen, was sie machen werden. Anschließend tun sie es oder teilen mit, was sie zu tun gedenken. In der so entstandenen neuen Situation beraten wieder alle Gruppen und handeln anschließend.

H Stockt das Spiel, so gibt die Spielleitung einen neuen Anstoß an alle oder eine Gruppe. Notwendig ist es, wichtige Argumente und Ereignisse schriftlich festzuhalten. Das macht die Spielleitung. Außerdem soll jede Gruppe festhalten, was sie tut oder tun will und darüber auch die Spielleitung informieren. Die Spielleitung des Projekts kann auch vorschlagen, den armen Menschen in der Gruppe 2 kostenlos Kuku aus den USA zu liefern.

Was danach geschieht, solltet ihr auch genau festhalten.

Am wichtigsten ist hinterher die Auswertung:
- Gab es irgendeine Idee, was zu machen ist?
- Hat sich die Lage verbessert oder verschlechtert?
- Wo gab es Probleme?
- Wie habt ihr euch beim Spiel gefühlt?

***I** In der Welt gibt es einerseits Überschüsse an Nahrung, z.B. in vielen Industrienationen. Dort wird mehr produziert als verbraucht. In der Europäischen Gemeinschaft gibt es z.B. viele Überschüsse.*
Andererseits werden in den Entwicklungsländern z.T. wenig Nahrungsmittel produziert, z.T. Nahrungsmittel exportiert – es herrscht Hunger.

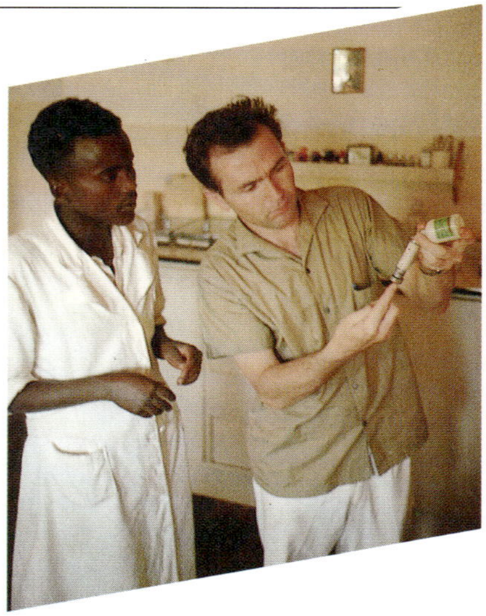

A Beschreibt, überlegt, vergleicht:
- ○ Technik bei uns, Möglichkeiten in den Entwicklungsländern,
- ○ vorhandenes und fehlendes Wissen und Können,
- ○ Versorgung durch Industrie, Selbstversorgung,
- ○ ständiger Überfluß, ungenügende Versorgung,
- ○ Herstellung mit komplizierten Maschinen, Verwendung einfacher Werkzeuge,
- ○ Kühlschränke, Gefrierschränke, Konserven einerseits und Trocknen, Einsalzen und Säuern andererseits,
- ○ Getränke kistenweise und Wasser aus dem Brunnen.

Bedenkt dabei: Wir halten uns für klug, fortschrittlich und modern und sind stolz auf das, was wir können. Die Menschen in den Entwicklungsländern haben zum Teil völlig andere Fähigkeiten, die uns fehlen. Wer kann bei uns Fische mit der Hand oder einem Spieß fangen, Wasser in der Wüste finden, Früchte von hohen Bäumen holen, Antilopen mit einem Pfeil jagen?

H Benutzt zur Arbeit das Material auf dieser Doppelseite.
Bedenkt bei der Arbeit:
- ○ In manchen Ländern ist es ständig zu trocken, in anderen gibt es häufig Überschwemmungen.
- ○ Hier wüten Insekten, z.B. Heuschreckenschwärme, dort droht eine Tropenkrankheit.
- ○ In einem Land leben die Menschen sehr verstreut, in einem anderen gibt es Großstädte mit Slums am Stadtrand.

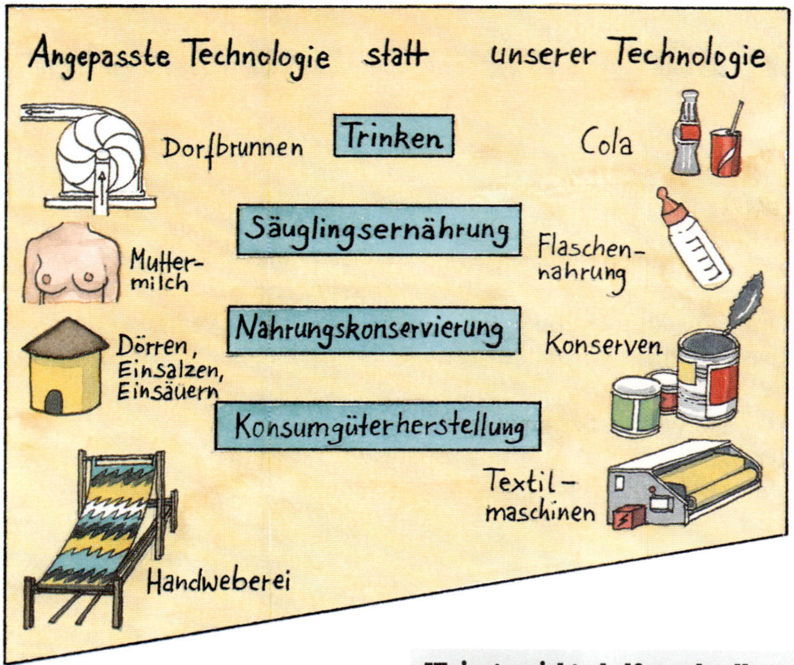

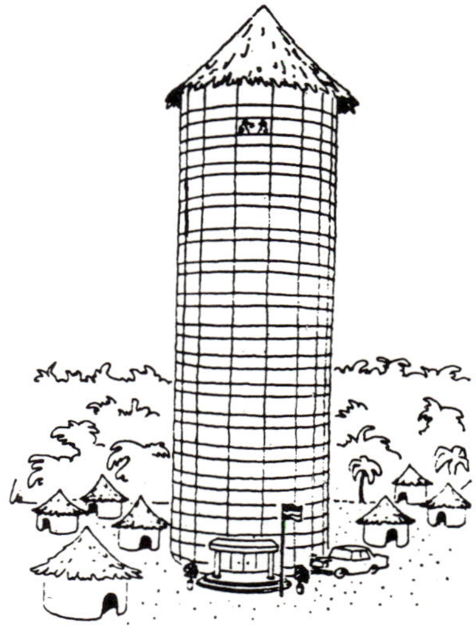

„Wissen Sie Herr Braun, das Allerwichtigste bei der Entwicklungshilfe ist Einfühlungsvermögen."

A Besonders interessant wäre es, wenn ihr über die Ergebnisse eurer Arbeit mit Asylsuchenden oder Flüchtlingen aus Entwicklungsländern diskutieren könntet.

Bisweilen ergibt sich die Möglichkeit, Kontakt mit Jugendlichen aus Entwicklungsländern herzustellen. Das solltet ihr nutzen.

H Sprecht darüber, ob die Arbeit an diesem Thema anders oder schwieriger war als sonst und fragt nach den Gründen dafür.

Kleinstprojekte helfen schnell

Die Geburtsstunde der „Kleinstprojekte" geht in die 70er Jahre zurück. Grundidee war es, schnell und unkompliziert der bedürftigen Bevölkerung in der Dritten Welt zu helfen.

Die kleinen Projekte beinhalten eine bunte Palette von Maßnahmen, wie z. B. den Bau von Straßen, einfachen Brücken, Sickergruben, Windmühlen, Biogasanlagen, Milchsammelstellen, sanitären Einrichtungen, den Kauf von Wasserpumpen, Zug- und Zuchttieren, Saatgut, landwirtschaftlichen Geräten, Eselskarren für Krankentransporte, medizinischen Instrumenten, Solaranlagen für Hospitäler, die Errichtung eines Medizinalpostens, die Reparaturen von Schuldächern und Schulbauten sowie Lehrmaterial für die Erwachsenenbildung (Alphabetisierung). **4**

Welche Entwicklungshilfe „hilft"?

Der Arzt zum Beispiel, der mit dem Jeep in die Dörfer fährt, kostet viel Geld, und er rettet auch hin und wieder ein Menschenleben. Aber er kann weder an den Ursachen der Krankheit etwas ändern noch die Krankheiten dauerhaft heilen. Der Barfußlehrer, der Außenarbeiter im Dorf aber, vielleicht ergänzt durch einen Barfußarzt, kosten dagegen wenig, sind Hilfe zur Selbsthilfe und versuchen damit, das wieder aufzubauen, was bereits gebrochen schien: Selbstbewußtsein, Selbstachtung. **5**

Wenn ihr künftig Berichte aus Entwicklungsländern hört, seht oder lest, so versucht Zusammenhänge zu verstehen. Hinweise habt ihr bei der Arbeit mit diesem Kapitel bekommen.

Überlegt noch einmal:
Woher kommt die Armut in den Entwicklungsländern: . . .
Beispiele für Mangel: . . .
Möglichkeiten der Hilfe: . . .
Probleme der Hilfe: . . .

Situation der Kinder hier – Situation der Kinder in Entwicklungsländern (Nahrung, Kleidung, Wohnung, Schule, Freizeit . . .): . . .
Wie läßt sich der Teufelskreis der Armut durchbrechen?

12. Abgeordneter, Bürgermeister und Minister ist man auf Zeit

In einer Demokratie werden die Vertreter des Volkes gewählt, bei uns in der Regel für vier bis sechs Jahre. Die leitenden Ämter im Bund, in den Bundesländern und in den Gemeinden werden nur durch Wahl auf Zeit besetzt.
Wer darf wählen?
Wie wird jemand Kandidat?
Gibt es in eurer Familie oder unter euren Verwandten jemanden, der in ein Amt gewählt worden ist?

Um die Wähler werben die Parteien, die ihre Kandidaten zur Wahl stellen.
Wo und wie werben die Parteien?
Welche Aufgaben haben sie noch?

Ziele der Arbeit: Ihr solltet euch über Wähler und Gewählte informieren und etwas über Wahlen und politische Parteien erfahren.

H Dieses Thema bearbeitet ihr am besten vor einer Wahl.

A Ihr könnt Wahlplakate, Broschüren oder Handzettel vergleichen:
○ Worum geht es?
○ Welche Aussagen stimmen überein, welche nicht?
○ Welche Bilder sind gleich?
○ Wer ist von den unterschiedlichen Vorschlägen positiv oder negativ betroffen?
○ Was läßt sich austauschen (Parteiname, Bilder . . .)?
○ Wer wird angesprochen?
○ Wie wirkt der Wahlkampf auf euch?

Beobachtet auch die Sendungen in Rundfunk und Fernsehen:
○ Wie wird dort geworben?
○ Was steht im Mittelpunkt: die Politik, eine Person oder Musik und schöne Bilder?
○ Wen spricht es an?
○ Wer wird angegriffen?

H Am Anfang sollte ein gemeinsames Gespräch in der Klasse dazu dienen, Erlebnisse und Erfahrungen mitzuteilen und die – möglichen – Schwerpunkte der Arbeit festzulegen.

Immer mehr spricht für uns. SPD

A Lest den Text (rechts) aus dem Parteiengesetz, der euch über die Aufgaben der Parteien informiert. Welche Aufgabe erfüllen die Parteien im Wahlkampf?

Parteien gehören zur Demokratie. Durch ihre Arbeit erfüllen sie einen wichtigen öffentlichen Auftrag.

Sie wirken auf die öffentliche Meinung ein,
bemühen sich um politische Bildung,
fördern die aktive Teilnahme der Bürger am politischen Leben,
stellen Bewerber für die Wahlen auf,
nehmen auf Parlament und Regierung Einfluß,
vertreten ihre Ziele.

Sie sorgen für eine lebendige Verbindung zwischen Volk und Staatsorganen. **1**

CDU Die Zukunft

INFO-COUPON

Die SPD will den Ausstieg aus der Kernenergie. Das unterstütze ich.

☐ Bitte schicken Sie mir Informationen, wie ich der SPD beitreten kann.

☐ Ich möchte vorerst noch genauere Informationen über die Positionen der SPD zur Kernenergie.

☐ Ich möchte Informationen zu folgenden Themen:

☐ Bitte schicken Sie mir die Titelseite dieses Prospektes als 4-farbiges Poster kostenlos zu.

Meine Adresse:

Name

Straße

PLZ/Wohnort

Bitte Coupon ausschneiden, auf eine Postkarte kleben und abschicken an:
SPD Landtagsfraktion Hessen
Schloßplatz 1
6200 Wiesbaden

SPD

Herausgeber: Landtagsfraktion Hessen Schloßplatz 1, 6200 Wiesbaden
Verantwortlich: Ernst Welteke
Gestaltung: PLOOG Kommunikation
Druck: Union-Druckerei

I *Die letzten Wochen vor dem Wahltag werden die „heiße Phase des Wahlkampfes" genannt. In ihr versuchen die Parteien,*
- *auf die Wahl aufmerksam zu machen,*
- *eigene Wähler zur Stimmabgabe für ihre Partei aufzurufen,*
- *sich von den anderen Parteien abzugrenzen,*
- *neue Wähler zu gewinnen, indem sie ihre Kandidaten und ihre Vorschläge herausstellen,*
- *die anderen Parteien und ihre Kandidaten anzugreifen.*

F.D.P. Die Liberalen

A Es ist nicht gleichgültig, ob in der Gemeinde, im Kreis, im Bundesland, in der Bundesrepublik oder in der Europäischen Gemeinschaft gewählt wird. Versucht festzustellen:

- Was/wer wird gewählt (Gemeindevertretung, Kreistag, Landtag, Europäisches Parlament, Bundestag . . .)?
- Für welche Zeit werden die Abgeordneten gewählt?
- Welche Aufgaben haben sie?
- Wie sieht die Zusammensetzung der Versammlung zur Zeit aus?
- Vor allem aber: Benennt (politische) Probleme, die Wahlkampfthema sind. Was schlagen die verschiedenen Parteien zu deren Lösung vor?

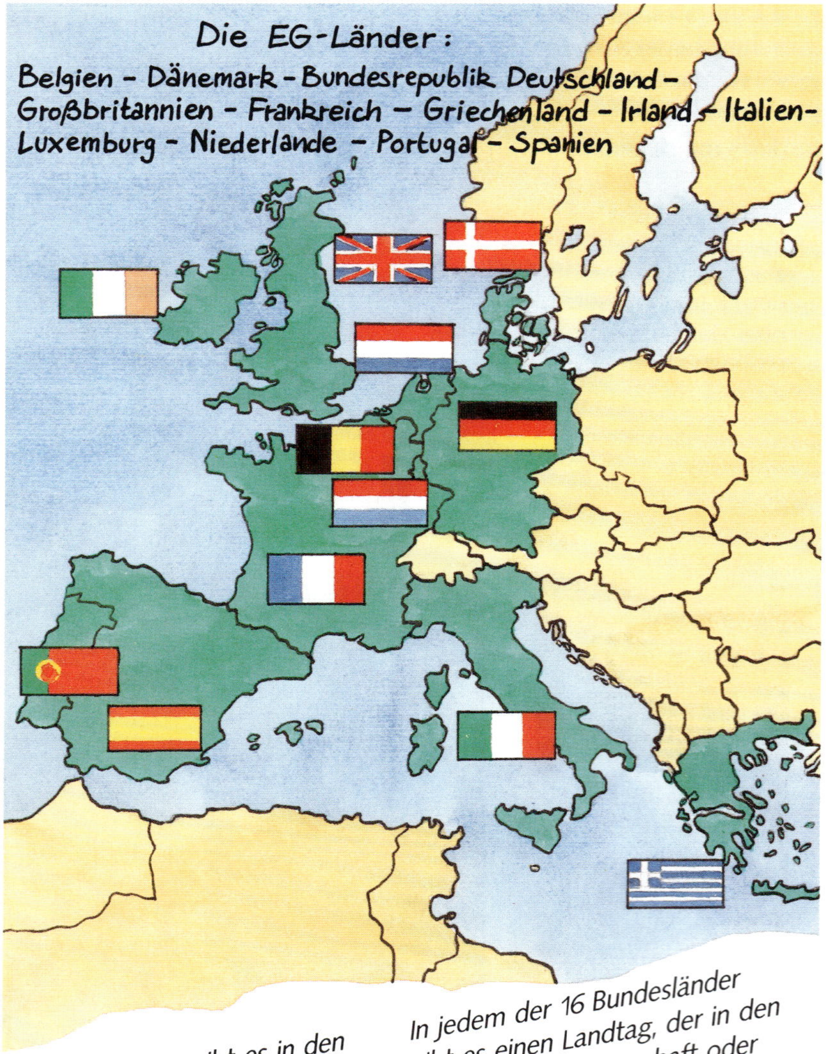

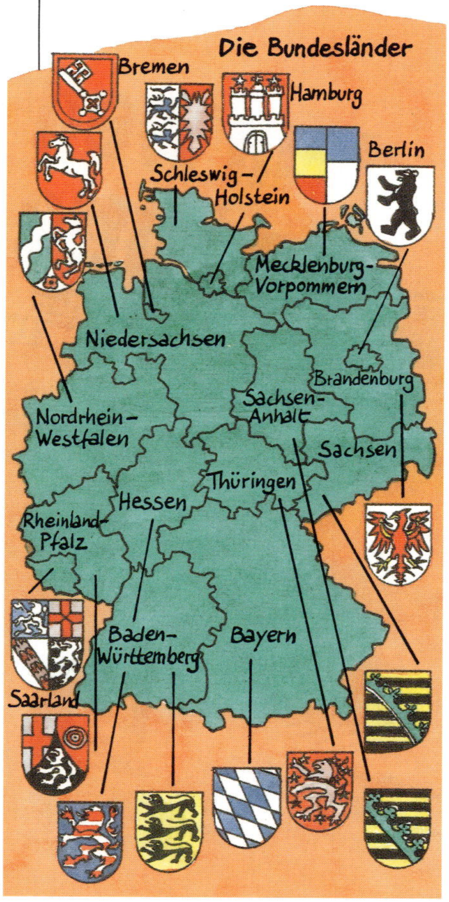

I *Auf dem Land gibt es in den Gemeinden ein Parlament (Stadtverordnetenversammlung, Gemeinderat . . .) und für den Kreis den Kreistag. Größere Städte gehören keinem Kreis an und haben nur eine gewählte Vertretung (Stadtverordnetenversammlung, Stadtrat . . .). Für Stadtteile werden z. T. Ortsbeiräte gewählt. Berlin, Hamburg und Bremen sind Bundesland und Stadt zugleich. Sie haben daneben noch besondere Vertreter in den Bezirken/Stadtteilen.*

In jedem der 16 Bundesländer gibt es einen Landtag, der in den Stadtstaaten Bürgerschaft oder Abgeordnetenhaus heißt.

Für die Bundesrepublik ist der Bundestag die gewählte Vertretung des Volkes.

Die Abgeordneten im Europa-Parlament vertreten die Bürger der Europäischen Gemeinschaft (Bundesrepublik, Frankreich, Italien, Belgien, Niederlande, Luxemburg, Großbritannien, Dänemark, Irland, Griechenland, Spanien, Portugal).

A Ihr könnt erarbeiten:
- ○ Was wird gewählt?
- ○ Um welche Probleme geht es?
- ○ Welche Vorschläge gibt es?
- ○ Welche Aussagen werden im Wahlkampf gemacht?
- ○ Womit wird geworben?

Dann empfiehlt es sich, Vertreter der Parteien einzuladen und mit ihnen zu sprechen.
Dazu solltet ihr vorher Fragen formulieren, z.B.:
- ○ Welche Probleme müssen gelöst werden?
- ○ Welche Vorschläge haben die Parteien dazu (Pro/Kontra)?
- ○ Welche Chancen sehen sie, ihre Auffassung durchzusetzen?

Das Material zeigt euch, was in einer Gemeinde zu regeln und zu entscheiden ist.

H Ihr solltet die Arbeit klar gliedern in
- ○ Parteien und deren Aufgaben,
- ○ Wahlkampf,
- ○ Wahl und Wahlausgang.

A Wenn ihr euch sachkundig gemacht habt, könnt ihr einmal Erwachsene befragen, was sie von den Parteien halten und auch, was sie von deren Vorschlägen wissen.

Die Angaben müßt ihr anschließend vergleichen.

Ihr könnt Voraussagen über den Ausgang der Wahl sammeln. Ihr könnt auch selbst Voraussagen machen und den Gewinner der Wahlwetten ermitteln. Gewonnen hat, wessen Annahmen insgesamt am geringsten vom Wahlergebnis abweichen.

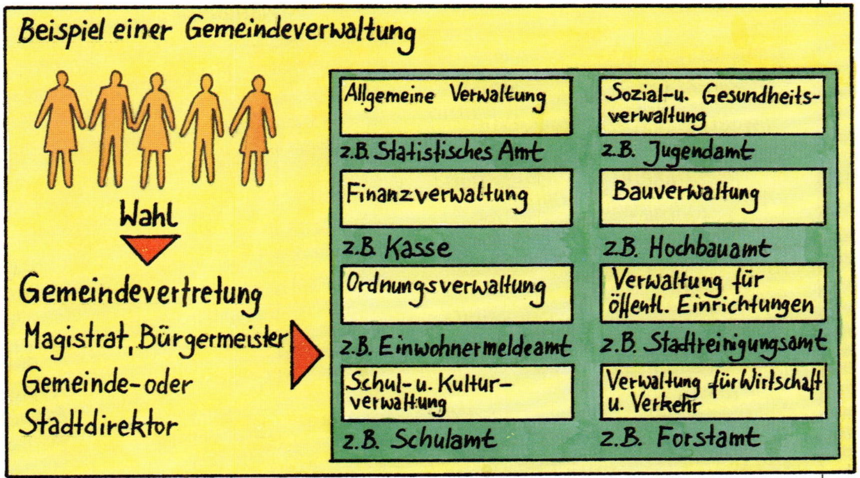

Alle Deutschen über 18 Jahre dürfen wählen. In Gemeinden (Dorf, Stadt, Bezirk) wählen sie eine Vertretung (Gemeinderat, Stadtverordnetenversammlung). Von dieser Vertretung werden
- ○ Beschlüsse über Satzungen, Bebauung, Wasserversorgung, Müllentsorgung, zum Feuerschutz ... und zum Haushaltsplan gefaßt,
- ○ die Leitung der Vertretung und der Verwaltung (Bürgermeister, Stadtdirektor, Stadträte) gewählt,
- ○ Ausschüsse für Sachgebiete (Finanzen, Bau, Jugend ...) gebildet,
- ○ die Verwaltung kontrolliert,

In einigen Bundesländern werden (Ober)Bürgermeister direkt vom Volk gewählt.

Stimmzettel

für die Landtagswahl am 12. Mai 1985
im Wahlkreis 80 Essen VI

Nur einen Bewerber ankreuzen, sonst ist Ihre Stimme ungültig!

Hier ankreuzen

1	Heinemann, Dr. Peter Rechtsanwalt und Notar Ostpreußenstraße 73 4300 Essen	Sozialdemokratische Partei Deutschlands SPD	◯
2	Schürmann, Heinrich Abteilungsleiter Beckumsfeld 12a 4300 Essen	Christlich Demokratische Union Deutschlands CDU	◯
3	Popis, Inge Oberstudienrätin Prinz-Adolf-Straße 7 4300 Essen	Freie Demokratische Partei F.D.P.	◯
4	Happe, Michael Dipl.-Ing. Bauing. Bergische Landstraße 54 4300 Essen	DIE GRÜNEN GRÜNE	◯
6	Möss, Adolf Student Mittwegstraße 18 4300 Essen	Europäische Arbeiter Partei EAP	◯
8	Wagner, Günter Arzt Mülheimer Straße 44 4300 Essen	Marxistisch-Leninistische Partei Deutschlands MLPD	◯
9	Pilz, Dr. Juliane Kunsthistorikerin Heckstraße 94 4300 Essen	DIE FRIEDENSLISTE NRW FRIEDEN	◯

I *Die abgegebenen Stimmen müssen in Parlamentssitze „umgerechnet“ werden. Dazu gibt es zwei Systeme: Verhältniswahl und Mehrheitswahl. Bei Verhältniswahl soll das Parlament ein möglichst genaues Spiegelbild der Wählermeinung sein.*
Bei Mehrheitswahl ist gewählt, wer die Mehrheit der Stimmen errungen hat.
Bei der Bundestagswahl wird die Hälfte der Abgeordneten in Mehrheitswahl gewählt, den Ausschlag gibt aber die Verhältniswahl.
Ist nur eine Person (Klassensprecher, Bundeskanzler, Vorsitzender ...) zu wählen, so geschieht das immer in Mehrheitswahl.

A Am besten ist es, wenn ihr am Wahltag alles beobachtet und festhaltet, was ihr sehen könnt, z.B. wenn ihr ins Wahllokal mitgeht:
○ Wie ist dort die Stimmabgabe organisiert?
○ Wird mit Automaten oder Stimmzetteln gewählt?
○ Wie sehen die Stimmzettel aus?
○ Wer sitzt als Wahlvorstand dort?

Und dann:
○ Wie ist die Wahl ausgegangen?
○ Wie haben die Parteien auf den Wahlausgang reagiert?
○ Was haben die Zeitungen, der Rundfunk, das Fernsehen berichtet?

Beobachtet auch, was anschließend geschieht:
○ Schließen sich Parteien zusammen (Koalition), um regieren zu können?
○ Wie sieht die Koalitionsvereinbarung aus?
○ Ist klar, wie Probleme gelöst werden sollen?
○ Wer hat evtl. Vorteile?
○ Wer soll Kanzler, Ministerpräsident, Bürgermeister ... werden? Wer macht den Vorschlag? Wie sieht die Wahl aus?
○ Wie kommen Minister, Stadträte, Gemeindedirektoren zu ihrem Amt?

Eure Eindrücke vom Wahlkampf, Wahlausgang, die Reaktionen und die vermuteten Ursachen könnt ihr zusammenstellen.

Die Parteien sind evtl. interessiert, das mit euch zu diskutieren. Besonders wichtig ist:
○ Welche Probleme sollen gelöst werden?
○ Wie sehen die Lösungsvorschläge aus?
○ Wer übernimmt Aufgaben?

▌Die Wahlen in der Bundesrepublik sind:

○ unmittelbar = durch die Stimme der Wähler werden die Abgeordneten ohne Einschaltung einer Zwischeninstanz gewählt.
○ gleich = jede Stimme hat gleiches Gewicht, ob sie der Präsident, der Kanzler, eine Lehrerin, ein Student, eine Hausfrau oder ein Verkäufer abgibt.
○ geheim = niemand darf erfahren, was ein Bürger gewählt hat, deshalb findet die Wahl in Kabinen statt. Falls Wahlautomaten verwendet werden, sind sie so aufgestellt, daß nicht beobachtet werden kann, was gewählt wird.
○ allgemein = alle Bürgerinnen und alle Bürger, die das 18. Lebensjahr vollendet haben, dürfen wählen. Nur sehr selten wird das Wahlrecht von Gerichten auf Zeit aberkannt.
○ frei = nur wenn Wahlen unmittelbar, gleich, geheim und allgemein sind, können sie auch als frei bezeichnet werden.

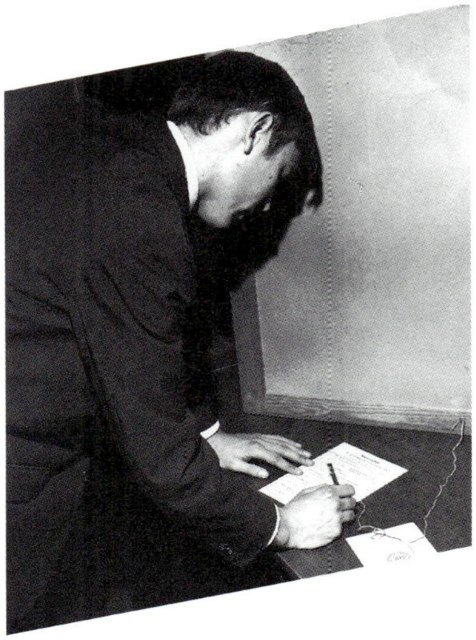

▌In den Landesparlamenten und im Bundestag werden neben dem Präsidenten, der die Sitzung leitet, die Regierungschefs (Bundeskanzler, Ministerpräsident, 1. Bürgermeister . . .) gewählt. Je nach Ausgang der Wahl wechselt die Regierung oder bleibt. Vor der Wahl des neuen Regierungschefs gibt es Verhandlungen über die neue Politik.

Jeder Kanzler, Ministerpräsident, Minister, Bürgermeister, Abgeordnete kann bei der nächsten Wahl sein Amt verlieren, wenn die Bürger durch ihre Stimmen entscheiden, welche Frauen und Männer für die nächsten Jahre die Politik bestimmen sollen.

Die gewählten Vertreter des Volkes beschließen Gesetze und kontrollieren die Regierung. Sie bilden in einem demokratischen Staat die wichtigste Versammlung.

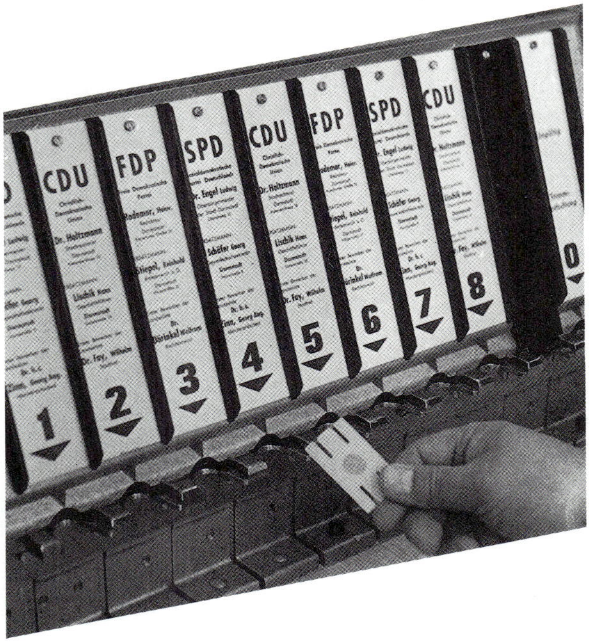

Nennt
○ die Aufgaben der Parteien und deren verschiedene Auffassungen in einigen Punkten,
○ Ämter und Aufgaben, die von gewählten Frauen und Männern wahrgenommen werden,
○ die Grundsätze einer demokratischen Wahl.

13. Was ist richtig – was ist falsch?

Welche politische Entscheidung „richtig" ist, darüber gibt es verschiedene Meinungen. Auch ihr habt oft verschiedene Auffassungen über das, was gewünscht, was als „richtig" angesehen wird.

Habt ihr schon Entscheidungen getroffen, von denen ihr hinterher wußtet, was zweckmäßiger oder besser gewesen wäre? Vielleicht könnt ihr auch von Auffassungen berichten, die viele früher für richtig, heute aber für falsch halten.

Ziele der Arbeit: Ihr solltet Ursachen für unterschiedliche Meinungen kennen und anerkennen lernen, daß Menschen verschiedene Wünsche und Vorstellungen haben. Ihr solltet das an Beispielen bearbeiten.

A In eurer Klasse sind bisweilen Entscheidungen zu treffen über
- Ziel des Wandertages,
- Klassenordnung,
- Gestaltung eines Festes ...

Achtet darauf, wieviele Meinungen es gibt und beachtet vor allem auch, wie sich Meinungen durchsetzen und welche Meinungen sich durchsetzen.

H Bei allen Gesprächen solltet ihr stets darauf achten, daß alle Meinungen ausgesprochen werden können.

Ihr solltet auch den Versuch machen, bei jeder Diskussion jeweils die unterschiedlichen Auffassungen/Standpunkte herauszustellen und zu begründen.

A Interessen und Einstellungen sind unterschiedlich. Ihr könnt versuchen, das an Beispielen, die ihr bearbeitet habt, zu erkennen, z.B. an der Überbauung der Nahe, die auf S. 135 nochmals dargestellt ist.

I *In unserer Demokratie gehen wir davon aus, daß es unterschiedliche Ziele gibt. Die Bürger sind es, die zu bestimmen haben, welche Ziele verfolgt werden sollen. Durch die Wahl werden eine oder mehrere politische Parteien auf Zeit beauftragt, die Politik zu gestalten. Bei der nächsten Wahl kann der Auftrag bestätigt oder korrigiert werden.*
Die Parteien stehen jeweils für unterschiedliche politische Ziele (Progamme).

**Straßen-
neubauamt
Bad Kreuznach**

Bauliche Sanierung zur Verbesserung der Lebensqualität:
Straßenengpässe werden beseitigt. Die vorhandene Bausubstanz soll verbessert werden. Für die Planer ist es dabei selbstverständlich, den mittelalterlichen Stadtgrundriß weitgehend zu erhalten.

Wesentliche Sanierungsgebiete im Kernbereich von Oberstein sind: Das Bahnhofsviertel, der Platz „Auf der Idar“, die Burg- und Kreuzgasse, der Marktplatz und die untere Hauptstraße. Der Bahnhofsvorplatz wird großzügig erweitert zum Busbahnhof, Umsteigeplatz und Taxihalteplatz. Dort beginnt auch die neue Fußgängerzone.

Abwasserbeseitigung zur Verbesserung des Umweltschutzes:
Beim Bau der neuen Straße über der Nahe werden außerhalb der Leitwände längs der beiden Ufer die Hauptsammler für die städtische Kanalisation verlegt. Dann endlich können die bisher direkt in die Nahe und ihre Seitenbäche geleiteten Abwässer der Kläranlage zugeführt und die Stadtteile Oberstein, Idar, Göttschied und Tiefenstein voll an die neue Kläranlage auf dem Almerich angeschlossen werden.

Bürgerinitiative Idar-Oberstein

Der mittelalterliche Grundriß und der typische, Einheimische und Besucher faszinierende Charakter des Stadtteils Oberstein wird durch die Naheüberbauung und deren bauliche Folgen weitgehend zerstört. Im Zuge der genannten Sanierungsmaßnahmen wurden bislang mehr als 25 Häuser abgerissen, u. a. das historisch und städtebaulich wertvolle „Sachsenhaus“, dessen Wiederaufbau in alter Form noch nicht geklärt ist. Weitere Gebäudeabrisse werden zwangsläufig folgen.

Stadtsanierung mit Hilfe des Baggers?

Der Bau der beiden Hauptsammler längs des Naheufers ist auch ohne die Verwirklichung der Naheüberbauuung möglich. Zudem könnte man bei einem Verzicht auf die Naheüberbauung hervorragend begrünte Fußwege auf den Hauptsammlern längs der Nahe errichten. Das heißt: Schaffung von Naherholungszonen im Stadtzentrum!

Übrigens: Ein Teil des bereits verlegten Hauptsammlers im unteren Stadtbereich mußte wegen der Naheüberbauung wieder neu verlegt werden. Mehrkosten: ca. 130 000 DM

A Ihr habt schon einige Kapitel dieses Buches durchgearbeitet. Ihr könnt heraussuchen, wo es zu einzelnen Fragen und Problemen bei euch unterschiedliche Auffassung gab.
Beispiele:

- Hilfe für Entwicklungsländer, Diskussion von möglichen Folgen der Entwicklungshilfe,
- Schulordnung,
- Gestaltung eures Ortes,
- . . .

Schaut euch die Schulprogramme rechts an. Nehmt Stellung.

Diskutiert aber auch:

- Welche Vorteile hätte eine einheitliche Meinung?
- Welche Nachteile hätte sie?
- Wo können sich Menschen wohler fühlen: In einem Land, in dem – angeblich – alle an einem Strang ziehen oder in einem, in dem es lange Diskussionen gibt? Wie war das in der Deutschen Demokratischen Republik (DDR)? Wie ist es heute?

„Müssen wir denn heute schon wieder machen, was wir wollen?"

„Für Eltern, die bewährte Traditionen zu schätzen wissen, haben wir unseren autoritären Kinderladen eingerichtet."

***I** Durch Erlebnisse und Ereignisse, aber auch durch neue Situationen ändern Menschen ihre Meinung bisweilen. Daß Menschen „lernen", sich entwickeln, eine neue oder andere Meinung haben, ist ein normaler Vorgang. Es gibt aber auch Auffassungen, die bestehen bleiben.*
Auch die Parteien haben eine Entwicklung und verändern ihr Programm dann, wenn es neue Situationen gibt. In Grundfragen (Menschenrechte, soziale Gerechtigkeit . . .) gibt es keine Änderungen.

Die im Bundestag vertretenen Parteien: Anzahl der Sitze und Verteilung der Zweistimmen (in %) nach der Bundestagswahl 1990

Christlich-Demokratische Union (CDU)	268 (36,7%)
Sozialdemokratische Partei Deutschlands	239 (33,5%)
Freie Demokratische Partei (F.D.P.)	79 (11,0%)
Christlich-Soziale-Union (CSU)	51 (7,1%)
Partei des demokratischen Sozialismus (PDS)	17 (2,4%)
Bündnis '90/Grüne	8 (1,2%)

Parteien zur Schule, 1987 beim Streit über die Klassen 5 und 6:

SPD
Mit der Einführung der Förderstufe haben wir in Hessen einen wichtigen Schritt bei der Verwirklichung eines offenen Schulwesens erreicht. Die Förderstufe gibt den Schülern zwei Jahre mehr Zeit, die eigenen Fähigkeiten zu entfalten, bevor eine Entscheidung über den weiteren Bildungsweg getroffen wird. **1**

CDU
Die CDU hält an der vierjährigen Grundschule fest und lehnt den Zwang zum Besuch von Förderstufen ab. Zu freiwilligen Förderstufen sagen wir Ja. Unnötiger Zwang paßt nicht zu freien Bürgern in einem freien Land. Die Schulbezirke für die Förderstufen werden aufgehoben. **2**

FDP
Die F.D.P. setzt sich für eine freie Schulwahl ein. Ein vielfältiges Angebot muß deshalb nicht nur in Ballungsgebieten, sondern auch in der Fläche erhalten werden.

Eine flächendeckende obligatorische Förderstufe und die integrierte Gesamtschule als staatlich verordnete Einheitsschule sind mit dem Prinzip nicht vereinbar und werden von der F.D.P. Hessen entschieden abgelehnt. **3**

DIE GRÜNEN
DIE GRÜNEN wollen in Hessen die Möglichkeit eröffnen, gemeinsames Leben durch die Einführung einer sechsjährigen Grundschule zu gewährleisten.

Es gibt keine pädagogische Begründung dafür, Kinder schon nach vier Grundschuljahren zu trennen und in verschiedene Schulformen (Haupt-, Realschule, Gymnasium) aufzuteilen. **4**

A Sucht Parkanlagen, Wasserläufe, Landschaftsteile, die nach dem 2. Weltkrieg umgestaltet wurden. Stellt fest, aus welcher Zeit ein Haus, ein Wohngebiet, eine Parkanlage, ein Bachbett ... stammen.
Äußert eure Meinung dazu. Dann könnt ihr eure Eltern oder andere Erwachsene fragen, was sie früher über die Bauten gedacht haben und heute denken.

Eine Zusammenstellung über einzelne Häuser, Straßen und Stadtteile mit den früheren und heutigen Meinungen dazu wird viele interessieren. Z.B.: Ein „Neubau"gebiet:
- Wann wurde es errichtet?
- Was hielten die Menschen damals davon?
- Wie sieht das Gebiet heute aus?
- Was denken heute die Menschen darüber, die dort wohnen?
- Was meinen die anderen?

Auch eine Dokumentation ist möglich, z.B.:
- Bau des Hauses: 1910 (Blumenornamente, verzierte Tür ...)
- Teilweise Zerstörung: 1944 (alle Fenster zerstört, Schäden an den Außenmauern)
- Wiederherstellung: 1949 (Reparatur der Fenster, Verputzarbeiten)
- Renovierung: 1960 (moderne Fenster, glatter Außenputz)
- Heute: ...

Andere Anregungen:
- 1958 wurde der Bach in ein Betonbett gelegt, jetzt ...
- 1965 wurde die ... Straße gebaut. Nun soll sie ...

Geschichte einer Kreuzung

Bis 1953 war an dieser Stelle eine einfache Kreuzung. Dann wurde eine Ampelanlage installiert, weil der Autoverkehr zunahm und schon einige Unfälle passiert waren. Bald gab es an der Kreuzung vor den Ampeln lange Staus.

So baute die Stadt 1962 einen Kreisel, weil Fachleute in verschiedenen anderen Städten gesehen hatten, daß über einen solchen Kreisverkehr viele Autos schnell in die Straßen verteilt werden konnten.

Doch schon 1971 ließ die Stadt wieder umbauen, weil es an den Einfahrten zum Kreisverkehr viele Staus gab. Es entstand ein „Überflieger", d.h. eine Brücke über die etwas weniger befahrene Straße. Dazu kam ein kompliziertes System von Auf- und Abfahrten. Nun war die Kreuzung nach Meinung vieler jedem Verkehr gewachsen. Einige störende Häuser waren bei dieser Gelegenheit abgerissen worden.

Doch 1979 wurde zusätzlich eine Ampelanlage installiert, weil der Verkehr nicht mehr reibungslos lief.

Heute besteht das Problem darin, daß der schnelle Verkehr die Anwohner – vor allem nachts – sehr stört. Eine Geschwindigkeitsbeschränkung oder eine zeitweise Sperrung für Lastkraftwagen ist im Gespräch. Dagegen opponieren aber vor allem die Transportunternehmer und die Betreiber der nahen Markthalle.

A Vielleicht läßt sich eine solche „Geschichte" auch bei euch finden. Viele meinen, die beste Lösung gefunden zu haben, doch . . .

Am Ende der Arbeit mit diesem Kapitel und auch mit diesem Buch sollte euch klar sein, daß es verschiedene Auffassungen gibt. Versucht Ursachen dafür zu nennen.

Bei Gesprächen in der Klasse achtet darauf, daß alle Meinungen genannt werden. Manchmal ist das, was nur leise gesagt wird, besonders wichtig.

Nennt Beispiele, wo sich Auffassungen geändert haben: . . .

Zu welchen Problemen gibt es unterschiedliche Meinungen: . . .
Wo sind die Meinungen gleich?

Quellenangaben

Kapitel 0

1 Frankfurter Rundschau vom 10.3. 1988
2 Siegfried Geisenberger/Edmund Kösel: Der Haushalt in der Volkswirtschaft, DIFF, Tübingen 1978, S. 64
3 Test: Textilien, in: Test 12/1987, S. 77
4 Studienbrief: Waren prüfen. Arbeitslehre, DIFF, Tübingen 1980, S. 89
5 Test: Stereo-Radiorecorder, in: Test 12/1987, S. 23–27 (gekürzt)

Kapitel 1

1 Frankfurter Rundschau vom 25.4. 1988 (gekürzt)
2 Frankfurter Rundschau vom 19.5. 1988 (gekürzt)
3 Frankfurter Rundschau vom 10.2. 1988 (gekürzt)
4 Frankfurter Allgemeine Zeitung vom 26.4. 1988 (gekürzt)

Kapitel 2

1 Frank Kolb: Mietskasernen und Straßenlärm, in: Rainer Beck (Hg.): Streifzüge durch die Jahrhunderte – Ein historisches Lesebuch, München 1987, S. 75–77 (gekürzt)
2 Elisabeth Erdmann: Leben unter römischer Herrschaft. Die Römerzeit im heutigen Baden-Württemberg, Villingen-Schwenningen 1986, S. 41 (gekürzt)
3 Otto Borst: Alltagsleben im Mittelalter, Frankfurt am Main 1983, S. 204ff. (gekürzt)
4 a. a. O., S. 94f. (gekürzt)

Kapitel 3

1 Hans Heckel: Schulrechtskunde, 6., völlig neu bearbeitete Auflage von Hermann Avenarius unter Mitarbeit von Helmut Fetzer, Neuwied/Darmstadt 1986, S. 371–374 (gekürzt)
2 Sissi Flegel: Stummfilmgedanken, in: dieselbe: Eine Klasse mit Pfiff, Reutlingen 1986, S. 19f. (gekürzt)
3 Otto Borst: Alltagsleben im Mittelalter, Frankfurt am Main 1983, S. 522–527 (gekürzt)
4 Katharina Rutschky (Hg.): Schwarze Pädagogik, Frankfurt am Main/Berlin/Wien 1982, S. 204ff. (gekürzt)
5 vgl. Allgemeine Schulordnung des Landes Nordrhein-Westfalen vom 8.11. 1978 (gekürzt)
6 Schulaufsicht in Preußen, Hannover 1901
7 Die höheren Schulen in Preußen für die männliche Jugend, Halle a. d. S. 1909

Kapitel 4

1 Atilla Yakut/Gabriele Steffen: Projekt: Ausländerkinder in der Schule. Herkunftsland Türkei, DIFF, Tübingen 1984, S. 131 (gekürzt)
2 Werner Schiffauer: Die Bauern von Subay. Das Leben in einem türkischen Dorf, Stuttgart 1987, S. 11–13 (gekürzt)
3 Manfred Markefka: Vorurteile-Minderheiten-Diskriminierung, Neuwied/Darmstadt 1984, S. 44 (gekürzt)
4 Anne Ostermann/Hans Niklas: Vorurteile und Feindbilder, München/Berlin/Wien 1976, S. 207 (gekürzt)

Kapitel 6

1 Dr. Heinrich Hoffmann: Der Struwwelpeter, Frankfurt am Main 1979, S. 18–20 (gekürzt)

Kapitel 7

1 Erich Fuchs: Hier Studio 7. Von der Flaschenpost zum Fernsehen, München/Wien 1981, o. S. (gekürzt)
2 Karl-Otto Saur: Klipp und klar. 100 × Fernsehen und Hörfunk, Mannheim 1978, S. 6 (gekürzt)
3 a. a. O., S. 8 (gekürzt)
4 Walther von LaRoche/Ludwig Maaßen: Massenmedien. Fakten-Formen-Funktionen in der Bundesrepublik Deutschland, Heidelberg 1983, S. 24
5 Frankfurter Rundschau vom 25.5. 1988
6 Frankfurter Rundschau vom 25.5. 1988
7 Frankfurter Allgemeine Zeitung vom 11.4. 1988
8 Bild vom 11.4. 1988
9 Koordinierte Zuschauerforschung i. A. von ARD und ZDF. Gfk-Fernsehforschung: Trendbericht Jahr 1988 (Manuskript)
10 Claus Eurich/Gerd Würzberg: 30 Jahre Fernsehalltag, Reinbek 1979, S. 62
11 Rüdiger Stolze: Der Zeit auf den Fersen, München 1970, S. 33f.
12 Claus Eurich: Computerkinder, Reinbek bei Hamburg 1985, S. 57 (gekürzt)

Kapitel 8

1 Barbara Tuchmann: Der ferne Spiegel – Das dramatische 14. Jahrhundert, München 1982, S. 134 (gekürzt)
2 Jeanette Marie von Gayette-Georgens: Großes illustriertes Spielbuch für Mädchen, Berlin 1910, S. 109
3 Hermann Wilhelm Bödeker: Gustav und Klara als Knabe und Mädchen oder würdige Beschäftigung guter Kinder bis zum zwölften Lebensjahr, Hannover 1824, S. 27
4 Harald Focke/Uwe Reimer: Alltag unterm Hakenkreuz – Wie die Nazis das Leben der Deutschen veränderten, Reinbek bei Hamburg 1979, S. 44 (gekürzt)
5 a. a. O., S. 41–43 (gekürzt)
6 Atilla Yakut/Gabriele Steffen: Herkunftsland Türkei, DIFF, Tübingen 1984, S. 28 (gekürzt)
7 Ernst M. Wallner/Margret Pohler-Funke: Soziologie der Freizeit, Heidelberg 1978, S. 99
8 Susanne/Werner A. Kilian: Große Ferien. Ein Schulaufsatz – und was nicht drin steht, Ravensburg 1975, S. 4–6 (gekürzt)

Kapitel 9

1 Nach: Globus Bild 7263
2 Statistisches Bundesamt (Hg.): Datenreport 1989, Zahlen und Fakten für die Bundesrepublik Deutschland, Schriftenreihe der Bundeszentrale für politische Bildung, Bd. 280, Bonn 1989, S. 106 (gekürzt)
3 Fachverband Außenwerbung e. V.

4 Fachverband Außenwerbung e. V. (Hg.): Rumpfflächenwerbung, Frankfurt am Main, Oktober 1985, o. S.
5 Der Spiegel Nr. 43/1987

Kapitel 10

1 Frankfurter Rundschau vom 5. 4. 1988

Kapitel 11

1 Politik der Partner, Bonn 1986, S. 31
2 Johanna Skrodzki (Hg.): Dritte Welt – wo liegt denn das? Freiburg 1985, S. 58–61 (gekürzt)
3 a. a. O., S. 71 (gekürzt)
4 Unsere auswärtige Politik, Bonn 1985, S. 55 (gekürzt)
5 Joachim Dennhardt/Siegfried Pater (Hg.): Entwicklung muß von unten kommen, Reinbek 1980, S. 314 f. (gekürzt)

Kapitel 12

1 Sinngemäß nach Parteiengesetz

Kapitel 13

1 Hessen muß vorn bleiben. Wahlaufruf der SPD zur Landtagswahl 1987, Wiesbaden 1987 (gekürzt)
2 Mit Herz und Vernunft: Für gute Schulen. Schulpolitisches Programm der CDU Hessen, CDU-Landesverband Hessen zur Landtagswahl, 1986 (gekürzt)
3 Bildungspolitische Beschlüsse der F. D. P.-Hessen, F. D. P.-Landesverband Hessen, März 1986 (gekürzt)
4 Flugblatt zur Landtagswahl 1987 (gekürzt)

Sachregister

Bildnachweis

Umschlagfoto: A. Fertsch-Röver, Frankfurt

Acaluso International, Blumberg: S. 20 re., 30 re., 35 o., 37 li. unten, re. oben, 49 o., u. (Kirchgessner), 66 o., 84, 87 o. Mitte, 90 o. rechts, 95 Mi. rechts, 95 u. 98 u. links, 101 o. (4), 109 o., 114 o., u., 121 o. Mitte, 124 (Bögelspacher), 136 re.
action-press, Hamburg: S. 66 Mi. rechts
Archiv für Kunst und Geschichte, Berlin: S. 36, 42
amw Pressedienst, München: S. 69 o. links, 95 o. rechts
Fotoagentur argus, Hamburg: S. 81
Prof. Dr. Baatz, Saalburg Kastell: S. 30 o., 31
Bildagentur Bavaria, Gauting: S. 39 li., 87 Mi. links, 90 Mi.
Bibliothèque Nationale, Paris: S. 32 re.
Bildarchiv Preussischer Kulturbesitz, Berlin: S. 35 u., 83
CCC, München: S. 8 (Brinkmann), 50 (Peker, Wolter), 71 (Pitter), 81 (Stauber), 118 (Rauschenbach), 127 (Liebermann)
dpa, Frankfurt: S. 21 (2), 67 (3), 69 o. rechts, 75 u. (2), 133 (2), 135 (2)
ECG-TV Studio, Frankfurt: S. 109 u.
Europa-Park, Rust: S. 86 (2)
M. Friedel, Steingau: S. 52 Mi.
foto-present, Essen: S. 23 u. links, 52 o., 66 u., 68 u., 89, 126 (3)
H. Haitzinger, München: S. 136
W. Hanel, Bergisch Gladbach: S. 80 (2)
Historia-Photo, Hamburg: S. 32 li.
IVB-Report, Heiligenhaus: S. 23 o. rechts, 69 u. links
Keystone Pressedienst, Hamburg: S. 22 re., 37 re. unten
G. Kumpfmüller, Frankfurt: S. 22 Mi.
Pressefoto Lachmann, Monheim: S. 52 u.
Fotoagentur Helga Lade, Frankfurt: S. 8, 47 u. links, 96 Mi.
Bildagentur Laenderpress, Düsseldorf: S. 33, 94 o. rechts
Landesamt für Denkmalpflege, Mainz: S. 30 li.
Agentur mainbild, Frankfurt: S. 57 li. unten, 85 u., 98 u. rechts
M. Marcks, Heidelberg: aus „Krümm dich beizeiten" S. 44; aus „Vatermutterkind" S. 99
Markus/Stern, Hamburg: S. 136 u.
Bildagentur Mauritius, Mittenwald: S. 9, 22 u., 23 o. links, 56 (3), 57 li. oben, li. Mitte, 66 li. Mitte, 68 Mi., 69 o. rechts, 87 o. rechts, 91, 95 o. links, 96 o., 97 u., 98 o., 99 u., 115 u., 122, 138 o. und Mi. (4)
K. Meier-Ude, Frankfurt: S. 20 o., 29 u. rechts, 37 re. Mitte
Regionalmuseum Xanten: S. 30 u. (Fotos: G. Zimmer)
Rhein. Landesmuseum, Trier: S. 30 Mi. rechts
Reportage-Foto Preker, Münster: S. 95 Mi. links
K. Schilling, Frankfurt: S. 10, 23 u. rechts, 45 (4), 47 (4), 68 o., 87 Mi. rechts, Mi. unten, 101 unten (7)
M. Schmidt, Ammerland: S. 93
Bildagentur Schuster GmbH., Oberursel: S. 39 re., 90 o. links, 94 o. links, 115 Mi., 121 u., 136 li.
M. Seifert, Hannover: S. 57 re. Mitte, 94 u., 96 u.
Stadtarchiv Frankfurt: S. 28/29
Stiftung Warentest, Berlin: S. 16/17
G. und K. Willberg, Hofheim: S. 20 u., 22 li., 37 li. oben, 57 re. oben, 75 o. (2), 97 o., 99 o., Mi., 128, 129
W. Willnat, Bölzingen: S. 79
Zefa, Düsseldorf: S. 57 u., 85 o., 90 u., 114 Mi., 115 o, 138 u. (2)
ZDF, Mainz: S. 79 (Foto: Renate Schäfer)

987 654 32